ANDRÉ NORCIA

DELEGADO RODRIGO

Labrador

Copyright © 2021 de André Luiz Rodrigo do Prado Norcia
Todos os direitos desta edição reservados à Editora Labrador.

Coordenação editorial
Pamela Oliveira

Preparação de texto
Marcelo Nardeli

Projeto gráfico, diagramação e capa
Amanda Chagas

Revisão
Denise Morgado Sagiorato

Assistência editorial
Larissa Robbi Ribeiro

Imagem de capa
Rene Bohmer (Unsplash)

Dados Internacionais de Catalogação na Publicação (CIP)
Angelica Ilacqua CRB-8/7057

Norcia, André Luiz Rodrigo do Prado
  Delegado Rodrigo / André Luiz Rodrigo do Prado Norcia. -– São Paulo : Labrador, 2021.
   224 p.

Bibliografia
ISBN 978-65-5625-136-3

1. Ficção brasileira I. Título

21-1712   CDD B869.3

Índice para catálogo sistemático:
1. Ficção brasileira

3ª reimpressão - 2025

Labrador

Editora Labrador
Diretor editorial: Daniel Pinsky
Rua Dr. José Elias, 520 — Alto da Lapa
05083-030 — São Paulo — SP
+55 (11) 3641-7446
contato@editoralabrador.com.br
www.editoralabrador.com.br
facebook.com/editoralabrador
instagram.com/editoralabrador

A reprodução de qualquer parte desta obra é ilegal e configura uma apropriação indevida dos direitos intelectuais e patrimoniais do autor.
A editora não é responsável pelo conteúdo deste livro. Esta é uma obra de ficção. Qualquer semelhança com nomes, pessoas, fatos ou situações da vida real será mera coincidência.

*Às maravilhosas mulheres
da minha vida:*

*minha mãe, Doralice
e minha esposa, Carolina.*

Sumário

Nota do autor 7
Prefácio 9
Academia de Polícia: "Hierarquia e disciplina" 12
76º DP: "A ripa" 18
24º DP: "Um zica sujo no meio da correria nervosa, chefia sangue nos olhos" 31
86º DP: "A calmaria" 41
86º DP – Primeira fase: "Hierarquia de pensamento, só na ditadura" 45
86º DP – Segunda fase: "Misturando água e óleo" 52
86º DP – Última fase: "A fuga que prejudica todos... menos os culpados" 79
2ª Seccional 99
36º DP: "Uma passada breve, mas intensa" 101
88º DP: "Não sou santo, mas não faço loucura" 107
61º DP: "Tráfico ou porte? Convencimento jurídico?" 130
"Eles precisavam esquentar a ocorrência" 148
"Precisamos combater o crime, mas nem tanto" 154
"Atirar é fácil, difícil é saber qual é o alvo" 172
17º DP: "Meu inquérito kafkiano, e a sua capa" 178
"Estão indo te prender!" 198
"O sistema entrega mais um corpo" 219

Nota do autor

Esta obra é uma ficção.

Fui delegado de polícia. Após tantos anos longe dos plantões policiais, realizo-me criando um romance inspirado em uma vivência de mais de doze anos. Em minha caminhada, presenciei muitos fatos, ouvi muitas histórias dos delegados e dos policiais com quem convivi. As gélidas noites no 97º Distrito Policial ficavam melhores com as histórias da madrugada.

Dito isso, ressalto que qualquer semelhança com fatos e pessoas reais é mera coincidência.

Mantenho com carinho as incontáveis amizades que fiz na polícia; e se ouvi histórias sobre corrupção, também presenciei atos heroicos — anônimos — de policiais corretos que se dedicam a uma sociedade que não os reconhece.

Com relação ao nome do personagem principal e narrador, presto homenagem ao saudoso poeta, meu pai, que fez questão — e sempre dizia isso — de dar ao seu primogênito o mesmo nome de um certo capitão de Érico Veríssimo.

Prefácio

Este romance não precisava de prefácio. Nasceu roteiro de filme.

Não obstante ser uma obra de ficção, tem evidente influência da vida prática do autor e de seu conhecimento do mundo. Sem hipocrisia e sem mediocridade, é uma obra para reflexão.

O autor é meu amigo dos bancos acadêmicos. Amigos de verdade se unem em propósitos e ideais. No mais, por consequência, os churrascos, encontros e festas são naturalmente agradáveis. E quanto mais envelhecemos, mais lembranças temos das memórias que nos uniram. Mas muitas vezes esquecemos que isso só foi possível pela identidade de sonhos, princípios e projetos de vida.

Acompanhei de perto a jornada do autor. André Luiz Rodrigo do Prado Norcia era conhecido na PUC como "o cara" naturalmente engraçado. Já era escrivão de polícia e já conhecia as entranhas da instituição.

André, por influência dos dele — do pai, da mãe — e alguma minha, decidiu prestar outro concurso, condizente com quem tem uma base sólida da PUC.

A PUC, suas rampas, sua história, não é para amadores. Até quem entra cético sai com algum ideal. Dali saímos juntos, já amigos desse mundo real, de propósitos e sem outros interesses, para testemunhar o André fazer a melhor prova oral que vi em minha vida de um candidato a delegado de polícia.

Lembro-me, com orgulho, do meu professor de Direito Penal, então integrante da banca, o mestre Francisco Camargo Lima, me dizer ao final do concurso que a prova do André tinha sido marcante.

Vi, testemunhei e ajudei André a resistir contra o sistema, como delegado de polícia. O mundo ainda não estava pronto para os idealistas. Nem sei se um dia estará. André Norcia sempre enxergou, como eu, os problemas da polícia, assim como eu sempre identifiquei, guardadas as devidas proporções, os problemas do Ministério Púbico ou do que via, de modo geral, no sistema de segurança e de justiça.

Incentivei-o a se tornar meu colega, numa vontade egoísta de ter por perto mais um idealista. Quis o destino que um dos mais qualificados delegados de polícia que conheci se tornasse magistrado.

Quis novamente o destino que eu lesse, em primeira mão, este romance e tivesse o privilégio de prefaciá-lo.

Este livro merece uma lida sem juízos aprioristicos, sem generalizações, sem confusões entre o real e o imaginário, mas merece, antes de tudo, uma autocrítica social.

De onde vem essa cultura patrimonialista? De onde vem esse modo de ser em que ter ética virou virtude, e não simples obrigação? Quando poderemos de verdade assistir à igualdade no banco dos réus, a um mundo que não seja orientado por cor de pele, por dinheiro ou por status social?!

Honestidade, probidade, espírito republicano e de solidariedade deveriam ser dogmas obrigatórios de todo cidadão. Deveriam ser requisitos de todos que trabalham no serviço público. Como não são, esta obra é também uma homenagem sincera à maioria maciça dos policiais, gente decente, idealista, que ganha pouco e é honesta.

Com esta obra, meu amigo André Norcia, ao mesmo tempo em que escreve um romance instigante, não nega o orgulho que teve do aprendizado com a polícia, mas apresenta uma honesta reflexão crítica.

Por fim, o que me resta dizer ao autor é: que orgulho saber quem você é e como resistiu sendo sempre uma espécie de Capitão Rodrigo ou Dom Quixote.

E para o leitor: aproveite e procure não ler tudo num único dia, mas também não demore muito, a ponto de somente assistir ao futuro filme.

Alexandre Rocha Almeida de Moraes
Promotor de Justiça do I Tribunal do Júri, mestre e doutor
em Direito pela Pontifícia Universidade Católica (PUC-SP),
professor de Direito Penal

CAPÍTULO 1
Academia de Polícia:
"Hierarquia e disciplina"

Honestidade. Qualidade de quem é honrado, de quem pratica a probidade. No fim das contas, é sempre e apenas questão de honestidade.

O mês era julho e o ano, 2002. Estava frio, perto da hora do almoço e eu estava parado no ponto de ônibus, na rua da Glória, centro de São Paulo, em frente ao 1º Distrito Policial. Esperava a condução para a Cidade Universitária, pois no dia anterior havia tomado posse para o cargo de delegado de polícia do Estado de São Paulo.

Depois de três longos anos de estudos, sem trabalhar, morando com meus pais e sendo sustentado por eles, perto dos trinta anos, alcançaria, enfim, o cargo almejado. Foram quase três anos fazendo curso preparatório para concursos públicos, o famoso curso do Professor Damásio, situado no bairro da Liberdade.

O ponto de ônibus fica entre a delegacia e o prédio onde eu estudava. Observava um e outro, pensativo.

— Vai para a Academia de Polícia? — perguntou alguém.

Olhei para o lado e vi um homem um pouco mais velho. Não tinha mais de cinquenta anos e estava bem alinhado. Não o conhecia, fiquei meio receoso, mas, antes de eu responder para ele, esticou a mão para me cumprimentar e completou:

— Vou para lá, podemos dividir um táxi.

Aceitei. Sem emprego e renda há tantos anos, a economia inesperada cairia muito bem naquele momento. Não demorou para passar um táxi, e entramos. Sentei-me atrás e ele na frente. Fiquei olhando, procurando em minha memória aquele indivíduo, ele não me era estranho.

Perguntei se ele era delegado; respondeu que não. Contou que alguns recém-aprovados no concurso para delegado de polícia saíram do prédio, do curso preparatório do Damásio, e por isso supôs que eu era um deles. Acertou. No trajeto, conversamos pouco, algo sobre o tempo frio e a chuva fraca que caía. Eu pensava em comprar um carro, agora que teria um salário. Depois de três anos eu me sentia merecedor.

Pensava em todo o meu estudo, todo o sofrimento, toda a esperança. Ser concursando não é fácil. O *status* de concursando, ou "concurseiro", como dizem carinhosamente, já atribui coragem à pessoa. No meio jurídico é conhecida essa complicada condição: saber que apenas uma minoria é aprovada em um concurso público, saber de toda a carga familiar.

Dizem que a família sofre junto com o estudante. É verdade. Imagine ter um filho de quase trinta anos que não trabalha, apenas estuda para concurso público. A sociedade vigia você, familiares cobram. Uma carga emocional enorme, sem garantia de sucesso. Não há diploma no final, não há perdão para os mais de noventa por cento que desistem, muitos desses preparados. O apoio familiar é fundamental.

Mas a dura e longa fase de "concurseiro" havia passado, eu estava aprovado. Repetia mentalmente: "Eu passei! Estou aprovado, estou empossado!".

— Chegamos — disse o meu companheiro de corrida. Pagamos a conta do táxi, meio a meio. Nem vi passar o tempo, minha viagem mental foi tamanha que me transportei para o local de destino. Assim que descemos do carro, em frente ao grande prédio da Academia de Polícia, bem próximo à entrada da Cidade Universitária, no bairro do Butantã, o homem me estendeu a mão:

— Prazer e boa sorte em sua nova caminhada. — Após o gesto de cordialidade, um tom mais sério tomou o seu rosto. — Preparado para entrar nesse mundo? — Ele apontou com o olhar o prédio da Academia.

— Obrigado — respondi, e também olhei para a Academia de Polícia. Limitei-me a agradecer-lhe. Não entendi a pergunta.

Com um olhar amigável, arrumou a roupa com as duas mãos e se virou para ir embora. Após um passo, parou para a última frase:

— Sabe... não é questão de honestidade, mas de sistema.

Enquanto ele ia embora, em direção contrária à do prédio da Academia, eu pensava naquela última frase. Eu não a tinha entendido. O que ele quis dizer com "questão de sistema"?

Não importava. Eu estava pronto para ser um delegado de polícia exemplar, dar orgulho à minha família e à minha instituição. Bastava ser honesto e dedicado, simples assim.

A minha família é humilde, e honesta. Costumo brincar que, se a honestidade tiver origem genética, eu a recebi principalmente de meu avô paterno. Patriarca, foi corregedor geral na Secretaria da Fazenda do Estado de São Paulo, na década de cinquenta. Meu falecido pai foi poeta, boêmio. Adorava cachorros, insistiu em nominar um deles de Cérbero. Claro que não aceitamos. Figurão, artista e honesto. Se alguém dissesse que meu pai foi honesto por preguiça, eu até poderia acreditar. Ele não se preocupava com o mundo material, vivia em outra dimensão. Meu avô não, este era pura e simplesmente honestidade. Ouvi muitas de suas histórias. Na secretaria em que trabalhava recebeu o apelido de "vento encanado", pois fazia mal para todo mundo. Como fiscal de rendas foi removido doze vezes em um ano, contava meu pai. Certa vez desceu do ônibus, novamente transferido e sem a família, em uma pequena cidade do interior de São Paulo. Década de sessenta, talvez. Não deu mais de cinco passos, desceu do ônibus e entrou no primeiro comércio que viu, uma farmácia. Identificou-se, requisitou os livros contábeis, mas recebeu do funcionário apenas a informação de que aquele comércio era do prefeito. "Que diferença faz, prefeito não paga tributos?", perguntou. Autuou a farmácia conforme os ditames legais e no outro dia foi transferido novamente. A menor permanência em uma cidade. "Pelo menos nem precisamos nos mudar dessa vez", lembrou meu pai.

Minha família materna também segue a regra deste país continental, pessoas íntegras e honestas. Infelizmente não tive contato com os meus avós maternos. Minha avó, nem conheci. Meu avô faleceu antes que eu completasse a adolescência. Mas não me canso de repetir, tenho orgulho de contar sobre a educação que recebi da minha mãe. Maravilhosa, desde sempre ensinando aos filhos a retidão, poucas palavras e muitos exemplos. Ensinava com rigor o que era certo, a obrigação, a importância de respeitarmos nossos professores.

Enquanto refletia sobre a minha vida e sobre a companhia esquisita que me acompanhou no táxi, subia a rampa da Academia de Polícia e encontrava alguns colegas de cursinho, todos como eu, felizes, leves e animados. Teríamos uma aula inaugural, uma palestra com os delegados responsáveis pelo curso.

Fomos para o auditório designado. No final de um dos longos corredores surgiu uma sala grande, mas velha, malcuidada. Cadeiras verdes semelhantes às dos antigos cinemas nos esperavam. Detalhes que passaram despercebidos. Os sorrisos se multiplicavam, muitos recém-delegados se conheciam, todos ansiosos para conhecer os delegados mais antigos, nossos professores.

Foi frustrante.

Embora eu tivesse estudado incontáveis leis, profundas doutrinas, incansavelmente e por três anos, decorando teorias e mais teorias de Direito Penal, de processo penal e de outras diversas matérias, não recebemos sequer um singelo parabéns pela aprovação.

Ao contrário, três delegados entraram no auditório de forma sisuda, olhares fechados, e se sentaram na bancada à frente. Um deles pegou o microfone e passou a descrever como seria o curso de formação em tom seco, abstrato, como se falasse para crianças rebeldes.

Enquanto os outros dois nos olhavam como sensores, o delegado do meio, coordenador do curso, repetia sem dó: "A polícia é baseada em hierarquia e disciplina". Cheguei e acreditar que estava em algum curso militar. Não sei bem por quê, mas o discurso daquele delegado soava como uma ameaça ou algo assim. A turma era grande, cem delegados foram aprovados, divididos em três salas de trinta e três alunos — um tinha se exonerado naquele dia, nem apareceu. Para finalizar a apresentação, outro delegado passou a descrever seu currículo orgulhosamente. Eram inúmeros cursos e premiações, todas relacionadas a armas de fogo, campeonatos de tiro. Nada sobre Direito Penal ou processo penal.

As aulas regulares começaram e a frustração aumentou. A primeira aula foi inesquecível. Avisaram-nos que se tratava do doutor Cadeirudo, esse era o apelido dele, por possuir lascívia evidente. Mais velho, cabelos brancos e pernas afastadas, baixo e gordo, entrou olhando intensamente para as delegadas da sala. Certamente não se parecia com o Dom Juan que acreditava ser. De qualquer forma, mais marcantes foram as suas considerações. Iniciou a aula com amenidades, olhou para a porta, prestes a confessar algo para nós:

— Olha — diminuiu a voz — se dependesse de mim, todo delegado sairia da Academia direto para a Delegacia Fazendária, por seis meses. Depois, mais seis meses no Departamento de Trânsito, no Detran. Aí, sim, conseguiria comprar uma casa própria e poderia "tomar uma ripa" para o Decap.

A sala se unificou em um olhar coletivo, vazio, reticente. Era apenas o primeiro dia de polícia, o primeiro de muitos. O professor percebeu a ignorância da turma, a distância entre nós, recém-chegados, e aquele mundo que ele nos apresentava:

— Vocês entenderão — murmurou.

O doutor Cadeirudo era um tipo comum entre os professores do curso de formação do qual participei. Em regra, os demais faziam o mesmo, contavam histórias pessoais, faziam brincadeiras sem graça. Tivemos aula com um senhor de quase setenta anos que ministrava sobre leis revogadas. Outros, mais bem atualizados, não deixavam de repetir sobre a hierarquia e a disciplina entre os delegados, como um mantra a ser seguido.

Mas houve exceções. Foram poucas, mas marcantes. Tive aula de direito administrativo disciplinar, ou seja, sobre a lei da Polícia Civil, com um delegado chamado Alisson. Era uma luz na escuridão do desconhecimento. Inteligente e preparado, nos tratava com igualdade. Mostrava-se orgulhoso de ser delegado de polícia, conversava amplamente sobre o direito administrativo disciplinar e a Constituição Federal. Colocava o seu conhecimento à prova, respeitava-nos. Foi a primeira vez, depois de empossado, que tive orgulho de ser delegado de polícia.

O doutor Alisson era o único habilitado pela disciplina que ministrava a falar de hierarquia, mas fazia questão de nos igualar a ele.

CAPÍTULO 2
76º DP: "A ripa"

O curso de formação durou quatro meses. Recebemos, inclusive, um diploma.

O clima do último dia foi peculiar. Revivi o primeiro episódio da série *Band of Brothers*, sobre a preparação para a operação Overlord, para a invasão da Normandia. Fomos colocados no mesmo auditório do primeiro dia, a ansiedade crescente, a espera pelo próximo passo, pelo "Dia D". Sabíamos que não seria fácil. Já estávamos mais familiarizados com essa instituição, suas singularidades, o que naturalmente trouxe preocupação. Sabíamos que, salvo raras exceções, iríamos para o *front*, para os plantões policiais no Departamento das Delegacias da Capital (Decap).

Amizades foram feitas, embora nossa turma já contabilizasse baixas. Alguns delegados ficaram pelo caminho, antes do final do curso na Academia de Polícia, pois passaram em outros concursos públicos. Muitos alunos continuaram seus estudos desde o primeiro dia, sedentos por sair da polícia. Diziam que aulas como as do doutor Cadeirudo, com ameaças frequentes de punição, eram um incentivo a abandonar a instituição. Aliás, alguns pediram exoneração e voltaram para casa, sem qualquer garantia, diante da possibilidade de serem destacados para os plantões distantes.

Os sobreviventes — a maioria — se preparavam para a apresentação no Departamento, situado no bairro de Pinheiros. Lá saberíamos o nosso destino. Ouvimos comentários — a denominada "rádio peão" — antecipando que os desapadrinhados — eu, por exemplo — iriam para os piores lugares. Os protegidos seriam poupados.

A cidade de São Paulo conta com noventa e três delegacias de polícia. Embora estejam numeradas até o 103º Distrito, para parecer à população que são mais unidades, dez não foram instaladas. Importante lembrar ainda que entre o Decap e as unidades existem oito delegacias seccionais, unidades meramente administrativas. Ou seja, essas possuem, cada uma, aproximadamente dez delegacias de polícia.

Cheguei cedo à sede do Decap. O horário definido pela Academia era 10 horas da manhã, mas cheguei um pouco antes. Os colegas se aglomeravam na porta, e por isso nos franquearam o auditório. A tensão estava no ar para a maioria, uns poucos demonstravam tranquilidade. Claro que eu estava apreensivo, nem imaginava onde iria parar. Não havia critérios, senão ser apadrinhado ou desapadrinhado. Essa insegurança decorre da falta de critérios legais, objetivos, para a escolha do lugar de trabalho pelo delegado de polícia. Trata-se de pura discricionariedade da Administração Pública. Sendo assim, o delegado que possui algum conhecido importante, algum político ou delegado da cúpula, delegado diretor, delegado seccional, é mandado para um lugar bom. Os que não conhecem ninguém acabam nos piores lugares.

Por volta das 11 horas fomos recebidos por um delegado daquele departamento, e mais um ou dois funcionários. Avisou sem pudor que a escolha foi aleatória, com exceção dos pedidos políticos. Chamavam-nos por ordem alfabética e a ansiedade acelerou o tempo, logo recebi a minha designação:

— Rodrigo? — perguntou. Estendi a mão para receber meu envelope, mas nem precisei abri-lo. — Você não mora em Moema? Então, está indo para o 76º Distrito Policial, bairro da Ponte Rasa, depois da Penha.

Logo depois da ironia veio o sorriso sarcástico. Eu estava mesmo indo para o *front*. Ele falou daquele jeito para me humilhar. Aliás, poderia ter me poupado do sorriso, eu saberia da longa distância depois, ao olhar o mapa. Descobriria que, embora existissem inúmeras delegacias mais próximas, fui mandado a mais de vinte e cinco quilômetros de casa. Poderia ter sido pior. "Até que tive sorte", pensei. Encontrei outros desapadrinhados que foram para lugares mais distantes ainda.

Enquanto isso, os apadrinhados se reuniam em rodinhas para comentar as designações de elite que receberam: delegacia no Jardins (78º DP), no Itaim Bibi (15º DP), no Campo Belo (88º DP), entre outras.

— Você está indo para o 76º? — perguntou um delegado. — Também fui designado para lá, podemos ir juntos.

Eu me lembrava dele, de vista. Era Renato. Foram quase cem delegados que entraram comigo na Academia, mas eu tinha ficado mais amigo dos colegas da minha sala. Renato era simpático. Novo, não mais do que vinte e cinco anos, alto, quase do meu tamanho, visivelmente praticante de exercícios físicos, provavelmente um Dom Juan melhor do que o Cadeirudo.

Eu tinha comprado o meu primeiro carro zero, um Peugeot do tipo mais simples. Admito que meu pai ajudou na aquisição, mas a maior parte do valor fui eu que paguei. Dei carona ao colega e descobrimos juntos como era longe o 76º DP. Do bairro de Pinheiros, sede do Decap, levamos mais de uma hora até a Ponte Rasa. São Paulo é gigante. Mas a distância seria o menor dos meus problemas.

Antes de nos apresentarmos no 76º DP, cumprimos a burocracia burra de carimbar papéis na delegacia seccional, no caso a 7ª Delegacia Seccional. Depois, da avenida avistamos o prédio do 76º Distrito Policial. Um edifício bonito, grande, situado na avenida principal. "Certamente não fui o mais azarado", pensei. Cheguei a me animar um pouco. Na esquina, um restaurante conhecido, o Habib's. Naquele momento nem poderia imaginar que faria todas as minhas refeições ali. Nunca comi tanta esfirra na vida. Isso porque na academia nos foi dito muitas vezes para "não abandonarmos" o plantão, nem para o almoço ou o jantar.

Estacionei o carro e descemos. Eram por volta das 13 horas. Entramos no plantão e me identifiquei como o novo delegado. Renato ficou ao meu lado, era certamente mais tímido, talvez mais apreensivo. Um homem de terno se aproximou, apressado, estendeu a mão e disse:

— Boa sorte — decretou, ofegante, em tom fechado e peremptório.

Com o paletó na mão esquerda, passou entre a gente e foi para o estacionamento. Como ainda estávamos perto da porta, pudemos vê-lo entrando em um carro e saindo em alta velocidade. Foi embora. Olhamos um para o outro, sem falar nada, mas nos perguntando quem seria aquele cara. Então, um investigador de polícia, simpático, se aproximou, também com o olhar no veículo que se afastava.

— Boa tarde, doutores, sou do plantão, investigador. Aquele — apontou para o carro que saía do nosso campo visual — era o delegado de plantão, foi embora assim que soube da chegada dos novos delegados. Parece que ele conseguiu voltar para a cidade dele.

— O plantão dele acabou? — perguntou Renato.

— Parece que sim. — O homem gargalhou. — Na verdade, acabaria às 20 horas. — Após nos dar um olhar solidário, completou: — Acho que um dos senhores é o delegado de plantão a partir de agora, mas subam ao primeiro andar, confirmem com o delegado titular.

Que começo inusitado. Estávamos de plantão a partir daquele momento, ou melhor, um de nós, nem sabíamos qual. Olhamos para os bancos, diversas pessoas aguardando atendimento, uns dois ou três enfaixados e com marcas de sangue. Todos nos olhavam. O terno sobressai no plantão policial.

As ocorrências são costumeiramente apresentadas ao delegado de plantão por policiais militares, que são os agentes em maior número nas ruas da cidade. Ainda estávamos no meio do saguão, logo depois da entrada, onde as pessoas esperam por atendimento. Até os policiais militares que estavam ali — três, para ser mais exato — nos olhavam com um pouco de dó.

Subimos ao primeiro andar e entramos na sala cuja porta tinha a placa "Delegado Titular". O delegado titular nos recebeu com simpatia. Bem arrumado, vestia um terno elegante. Era alto e de pele clara reluzente, seus cabelos pretos estavam bem penteados. Sorridente, esticou a mão para nos cumprimentar, mas não demorou para anunciar, em tom irônico:

— Então, tenho uma notícia ruim e outra pior ainda — gargalhou.

Renato e eu olhamos um para o outro.

— Um de vocês tem de assumir o plantão agora, o outro entra às 20 horas. Vocês decidem. O delegado de plantão está esperando para depois ir emb...

— Ele já foi embora — interrompi.

— Quem assume agora, então?

— Você decide. — Olhei para o meu colega. — Para mim, tanto faz. Pode escolher, Renato.

Um pouco de gentileza faria bem naquele nosso primeiro dia no *front*. E, na verdade, nem sei qual escolha seria a pior. Tentei ser justo e amigável. Meu colega fez o mesmo, disse gentilmente que eu poderia escolher. No fim, Renato afirmou que estava muito longe de casa e que ficaria de qualquer jeito. Acrescentou que poderia ficar me olhando durante o dia, ao meu lado, e depois assumiria o plantão noturno. Assim foi feito.

O plantão policial pode ser comparado ao plantão hospitalar. Ambos recebem pessoas para atendimento, mas a demanda é variável, decorre de inúmeros fatores, como local, hora, bairro e até o clima. Rapidamente se descobre que o frio e a chuva são os melhores amigos de um plantão calmo. Acho que os criminosos não querem se molhar, muito menos se arriscar a adoecer de pneumonia.

Como em um hospital, recebemos casos de todas as ordens. Temos os boletins de ocorrência, registros menos graves, furtos de documentos, de aparelho celular etc. E o plantão recebe casos graves, como os de estupro. E o que mais complica um plantão policial é o auto de prisão em flagrante, quando os suspeitos geralmente são levados à delegacia pelos policiais militares.

Comparável a uma cirurgia, uma prisão em flagrante é trabalhosa e delicada, e por isso demorada. Cabe ao delegado de polícia analisar o fato apresentado, ratificando ou não a prisão feita pelos policiais de rua. Se entender que é o caso, lavra-se uma enormidade de documentos que serão encaminhados ao juiz de direito, junto com o preso. Para se ter uma ideia, uma prisão de dois indivíduos que roubaram um supermercado, com vítimas e testemunhas, pode significar a lavratura de uma centena ou mais documentos, se contarmos as muitas cópias encaminhadas aos respectivos lugares determinados por lei. E são todos assinados pelo delegado, pelo escrivão e pelo preso. Um processo inteiro sem advogado e promotor, sem contraditório, mas elaborado no mesmo dia, toma no mínimo três ou quatro horas de trabalho.

Naquela tarde, meu primeiro plantão, fiz dois flagrantes e nem sei quantos boletins de ocorrência foram registrados. Parecia uma guerra mesmo, um hospital público em suas piores condições. Eu contava com apenas um escrivão de polícia, o Teo, muito bom por sinal. Além dele, o Carlos fazia as vezes de escrivão, registrava boletins de ocorrência mais simples, embora não fosse aquela a sua função. Mas, de qualquer forma, não havia meio de dar vazão às ocorrências, as pessoas nos olhavam como se fôssemos os culpados pela demora.

Entendo, pois eram vítimas duas vezes: primeiro pelo crime que sofreram e, depois, por serem obrigadas a esperar horas até serem atendidas naquela delegacia lotada.

Não demorou para eu entender que precisava de mais funcionários naquele plantão. É simples, com um bom escrivão de polícia, um boletim de ocorrência demora, em média, meia hora para ser registrado, preenchido, impresso e assinado por todos. A décima vítima esperaria, na melhor das hipóteses, cinco horas. Quando assumi o plantão havia mais de vinte pessoas esperando. Matemática.

Mas logo descobri que as vítimas naturalmente atribuíam a culpa pela demora a nós, e não a uma política de governo negligente, que deveria contratar mais policiais e distribuir corretamente os funcionários conforme as demandas.

O plantão policial não dá voto, nem prejudica a imagem dos políticos.

Embora meu plantão se encerrasse às 20 horas, fiquei duas horas a mais para ajudar o Renato, que permaneceu ao meu lado durante o dia. Fui embora e me senti bem, dever cumprido.

Renato não teve a mesma sorte.

Eu não o conhecia direito, não éramos próximos na Academia. Pelo pouco que pude conhecer de Renato, era perceptível sua honradez, seu compromisso com o que é certo. No meu plantão seguinte, pela manhã, voltei à delegacia e iniciei normalmente o trabalho. Em pouco tempo, entre uma ocorrência e outra, o escrivão Teo me disse:

— Uma pena o que aconteceu com o outro delegado, né, doutor?

— O que aconteceu com Renato? Não estou sabendo de nada.

— Ele pediu exoneração. Foi embora da polícia — disse Carlos.

Foi estranho me deparar com a primeira baixa. Imediatamente, fui atrás das informações sobre a partida de Renato. À noite, a Polícia Militar apresentou uma ocorrência com mais de quinze presos. Dezenas de veículos roubados. Carros, motocicletas, dois caminhões. Tratava-se de um desmanche ou algo do tipo, uma grande quadrilha. Havia droga apreendida também, documentos falsos.

O caos. Aquele tinha sido o primeiro plantão do Renato. Em um cálculo superficial, uma média de cinco a oito documentos diferentes para cada preso (auto de qualificação, vida pregressa, nota de culpa, ofícios ao juiz, cadeia pública etc.), cada um em oito vias a serem assinadas por todos. Basta fazer a conta. Algo em torno de mil impressões, com assinaturas, sem falar na parte jurídica! Quem deveria ser preso, quem não deveria? O que deveria ser apreendido, o que deveria ser periciado? Soma-se a tudo isso o cenário insalubre de uma fria madrugada, depois de ter se apresentado no departamento na manhã do dia anterior.

Se ele tivesse me ligado, eu teria voltado para a delegacia. Mas a atitude dele foi outra: ligou para o delegado titular. Em plena madrugada de seu primeiro plantão, exausto e diante da imensidão de policiais, pessoas, presos, carros, droga e documentos, ouviu do delegado titular: "Se vira, a ocorrência é sua".

Renato fez o que pode. Iniciou um auto de prisão em flagrante, duzentas, trezentas ou quatrocentas páginas foram impressas, mas acabou abandonando a ocorrência pela metade, por volta do meio-dia, quatro horas após o que deveria ter sido o término do seu plantão.

No mesmo dia protocolou seu pedido de exoneração. Foi a primeira baixa, presenciei muitas. Uma perda. Renato era correto, íntegro, bem-intencionado. Ele seria motivo de orgulho para a polícia que lhe deu as costas.

Segui adiante, estávamos quase no Natal de 2002. Fui me acostumando com o plantão policial, geralmente lotado. Naquela delegacia éramos cinco equipes de plantonistas, cada uma com os seus devidos policiais, em regra um escrivão de polícia e dois investigadores. Uma pequena sala — do delegado de plantão — impedia a insalubridade de se instalar. Pequena, mas aconchegante, tinha um sofá antigo de apenas dois lugares. Era nele que eu cochilava nas madrugadas — metade de mim, na verdade, pois as pernas ficavam para fora. Eram raros os minutos que sobravam sem flagrantes para um breve descanso.

De plantão em plantão, a verdade é que não demorou para chegar o meu primeiro problema na nova carreira de delegado de polícia.

Para entendê-lo, é imprescindível visualizar as duas faces de uma delegacia de polícia. Uma delegacia territorial é formada pela chefia e pelo plantão. São duas vertentes assustadoramente distintas. A "chefia" é composta pelo delegado de polícia titular, pelos investigadores e pelos escrivães — "da chefia". Cabe a eles as investigações, o ato precípuo de desvendar os crimes ocorridos no bairro, no território daquela unidade. A investigação deve — pelo menos deveria — se materializar em um procedimento denominado inquérito policial, previsto no Código de Processo Penal.

A chefia trabalha em horário de expediente, de segunda a sexta, horário comercial. O plantão, por sua vez, é ininterrupto, e por isso composto por mais de uma equipe plantonista. Em uma terça-feira diurna, por exemplo, o plantão funciona normalmente, ao mesmo tempo que a chefia também está trabalhando. À noite, todos vão embora, e apenas o plantão continua aberto.

O plantão fica no térreo da unidade, enquanto a chefia trabalha no primeiro andar. O delegado titular é o presidente dos inquéritos policiais e suas ordens se materializam por meio dos investigadores e escrivães. Além disso, o delegado titular é o chefe administrativo da unidade. Ao delegado plantonista e sua equipe, cabe atender às ocorrências apresentadas e fazer o devido encaminhamento.

Embora o cargo de delegado de polícia seja único, a instituição curiosamente se divide em "castas" de delegados, como se o titular fosse mais que o plantonista, e o delegado seccional superior ao titular, mas inferior ao delegado diretor. Ainda que se defenda essa organização vertical para um cargo (que deveria ser) jurídico, o problema é que aquele que ocupa uma posição superior nem sempre é o mais preparado ou o mais experiente, já que as cadeiras são distribuídas por apadrinhamento político: uma hierarquia baseada na influência política, e não na antiguidade ou na competência.

Perto do Natal de 2002, uma reunião foi marcada pelo delegado titular. Cheguei à delegacia e os demais delegados plantonistas estavam reunidos em nossa pequena sala. Três deles conversavam sobre a reunião. Cheguei no meio da conversa.

— Não podemos admitir isso — disse uma delegada mais antiga.

— Concordo, precisamos fazer alguma coisa — completou o outro.

Colocaram-me a par da situação. O delegado titular tinha convidado um amigo de outra delegacia para trabalhar com ele. O problema é que esse delegado deveria ficar no lugar do Renato, ou seja, ele deveria integrar uma das cinco equipes de plantão.

Não era esse o plano do titular, que pretendia colocar seu amigo como seu delegado-assistente, em horário de expediente, todos os dias, para "ajudá-lo". Aquela mudança diminuiria o número de equipes plantonistas, e cada um de nós teria de fazer quinze plantões mensais de doze horas. Não era justo. Enquanto outras delegacias com pouco movimento possuíam cinco equipes de plantão, a nossa, movimentadíssima, passaria a contar com apenas quatro.

— Vamos reclamar na reunião. Estou sabendo que ela servirá apenas para nos informar sobre o amigo dele, que não ficará no plantão! — combinou a delegada.

— Vamos, sim — concordou o outro delegado. — Se todos falarmos, não tem como dar ripa.

A famosa "ripa", sinônimo de "bonde". Interessante como os delegados de polícia são tratados como mercadoria, como gado. Disseram-me que "sempre foi assim". A ripa consiste na transferência compulsória e totalmente imotivada, uma forma de punição, por quaisquer motivos, ou simplesmente porque quem manda mais resolveu mandar o delegado embora.

A ripa serve também como forma de ameaça. Como os superiores não podem determinar que o plantonista prenda ou deixe de prender alguém importante, alguém influente, eles mandam um recado subliminar, de que se deve fazer a ocorrência assim ou assado, para evitar a dolorosa transferência, a ripa.

Conheci um delegado mais antigo que em qualquer conversa não conseguia segurar a sua revolta. Ele sempre contava a mesma história:

— Tomei uma ripa do vendedor da água de coco, acredita? — dizia ele a qualquer pessoa, com os olhos arregalados. Era uma mistura de revolta e desabafo, terapia. Ele contava que uma vez o diretor do departamento em que ele estava lotado foi tomar água de coco em determinado lugar. O vendedor aproveitou a oportunidade para contar ao diretor que tinha sido maltratado na delegacia, tinha esperado demais pela elaboração do boletim de ocorrência. O diretor não hesitou, ripou o delegado para o outro lado da cidade. O número de escrivães da delegacia onde ele trabalhava, entretanto, permaneceu o mesmo. A culpa pela demora não foi do delegado ripado, mas da falta de funcionários.

Entramos na sala do delegado titular, para a tal reunião. Uma sala bem diferente da nossa, grande, porcelanato branco no chão, brilhante. Mobiliário condizente com o de um importante escritório. Quadros bonitos e uma enormidade de certificados estrategicamente dispostos pelas paredes. Enquanto nos sentávamos, vasculhei os documentos com o olhar. Eram cursos de tiro, de invasão, de contenção de crise etc. Curso jurídico, não encontrei.

— Podem se sentar — disse cordialmente o delegado titular, dando início à reunião. Ao lado dele já estava o novo delegado, o amigo que pretendia fugir do plantão e nos deixar sobrecarregados. Após muitas amenidades, simpáticas explanações, chegou a hora esperada: — Bom, meu amigo aqui — colocou a mão direita sobre o braço do amigo — está vindo para o 76º Distrito para me ajudar, por isso vocês ficarão em quatro equipes. Não tem o que fazer, será assim e pronto, alguma dúvida? — Olhou para nós, quatro delegados sentados.

Olhei para os lados e os colegas, aqueles que combinaram de não aceitar essa imposição injusta, ficaram quietos. Resolvi falar:

— Doutor — iniciei em tom humilde —, nossa delegacia é muito movimentada, flagrantes todos os dias e noites, incontáveis ocorrências. Eu poderia propor falarmos com o delegado seccional, pedir mais um delegado, de uma delegacia mais tranquila? O 65º DP, por exemplo.

Vale lembrar que o Decap é subdividido em oito seccionais. Fazíamos parte da 7ª Seccional, região leste da cidade. Naquela época, eu ainda não sabia ao certo para que servia uma seccional. Descobri depois, mas propor falar com o delegado seccional não foi uma boa sugestão.

— Não vamos falar com ninguém, será assim! — Irritado, encerrou a reunião, desconsiderando a minha fala.

Três dias depois fui chamado à sala do delegado titular. Assim que entrei, vi que ele segurava um envelope. Com o braço esticado e o olhar voltado para a sua mesa, como se estivesse ocupado, me entregou o documento.

— Se apresente na delegacia seccional — disse sem movimentar os olhos.

Era a minha primeira ripa. Comparo-a ao primeiro sutiã: "a gente nunca esquece". Saí quieto da sala, falar o quê? Enquanto descia as escadas em direção ao plantão, abri o envelope e descobri que, se o bairro da Ponte Rasa era longe, mais de vinte e cinco quilômetros da minha casa, a delegacia de São Miguel Paulista, 24º DP, acrescentaria mais oito quilômetros ao trajeto.

No mesmo dia recebi o telefonema de um delegado que conheci na Academia de Polícia. Era assistente na 7ª Seccional. Compadecido da minha primeira ripa, me contou que por coincidência estava na sala quando o delegado titular foi lá pessoalmente reclamar de mim. Foi dizer ao delegado seccional que eu era um delegado bom, mas "muito folgado". Parece que eu não poderia ter dado uma sugestão, o que custou a minha transferência, a minha ripa.

— Mandarei o Rodrigo para São Miguel Paulista, para aprender uma lição — sentenciou o delegado seccional.

Admito que fiquei inconformado, revoltado, me sentindo injustiçado!

CAPÍTULO 3

24º DP: "Um zica sujo no meio da correria nervosa, chefia sangue nos olhos"

Dizem que a minha ripa foi a primeira da minha turma. Um recorde de (curta) permanência em uma delegacia: vinte dias. Que vontade de pedir exoneração, de sumir dali. Invejei o Renato. Eu precisava do emprego e, infelizmente, o pior nem havia começado. Engoli em seco a vontade de fugir, coloquei a minha revolta no bolso e fui me apresentar na outra delegacia.

A lógica indica que bastaria me apresentar direto na delegacia de destino. A polícia, não. Antes de ir ao 24º DP, tive de passar na unidade seccional para cumprir uma burocracia burra, me deslocar até um prédio apenas para entregar um papel e receber outro. A instituição exige que o ripado peça benção ao delegado seccional, duas castas acima da minha.

— O delegado seccional está te chamando — disse a secretária. — Me acompanhe.

A sala era enorme. Três vezes o tamanho da sala do delegado titular. Mais bonita também. Quadrangular, a enorme mesa do delegado seccional era distante da porta de entrada. Parecia se tratar do presidente de uma grande empresa ou algo do gênero. A decoração fora feita por alguém especializado. Olhei para o delegado seccional, lá no fundo. Sentado com as pernas abertas em sua cadeira, um pouco afastado da mesa, rasgava alguns papéis e os jogava no lixo. Sem parar o que estava fazendo, e sem olhar para mim, pontuou:

— Não me arrume mais confusão, ou você vai para mais longe!

Depois da bronca, como se fosse meu pai, ficou mudo e continuou rasgando papéis. Percebi que era para eu sair da sala e o fiz, com meu pequeno envelope nas mãos. Mas no caminho fiquei preocupado, admito. Se dar uma simples sugestão era confusão, dali a pouco eu estaria na delegacia de polícia do Uruguai.

Foram duas horas de trânsito, ou mais, até a delegacia de São Miguel Paulista. O visual do caminho se deteriorava a cada quilômetro percorrido. Eu sentia, pela primeira vez, a vida desigual da periferia de São Paulo.

A delegacia estava em ruínas. Situada no alto de uma praça, de longe era possível constatar a falta da porta principal. As paredes esburacadas e o número de vidros quebrados completavam a identidade depressiva da antiga construção. Por dentro não era diferente: ausência de portas, móveis velhos e malcheirosos. Os ambientes sequer possuíam divisões compreensíveis. Não se sabia a função de cada sala.

Assumi o plantão e conheci meu novo escrivão: Tom. Ele era baixo e troncudo. Costumeiramente mantinha as mãos nos bolsos de sua maltratada calça jeans. Tom era simpático e hiperativo, o que fazia dele um bom escrivão, rápido e ofegante. Boa gente.

— Doutor, a sua fama já chegou aqui — confessou Tom.

— Que fama?

— De zica e de sujo. Mas eu não ligo se o senhor é sujo.

— Como assim? — alterei a voz, dei um passo em sua direção, minha expressão facial bruscamente alterada. Ele percebeu.

— Calma, doutor, eu gosto de quem é zica — disse Tom. — Trabalho numa boa com...

— Sujo? — interrompi, revoltado. "Vida financeira modesta não significa falta de higiene", pensei.

— O senhor não sabe? — ele sorriu. — Xi... tem muito o que aprender.

Tom me explicou que "zica" é um adjetivo policial para designar quem podia arrumar confusão. Genérico assim mesmo. Explicou que quem não gosta de dinheiro ilícito é "sujeira", "sujo", fazendo gesto com a mão fechada, passando as unhas no peito de um lado para o outro. Comecei a entender. Sujo, então, é qualidade e não defeito. Qualidade de ser honesto. Ou o defeito de ser honesto.

Tom continuou a explicação:

— Aqui tem briga por ocorrência boa, essa chefia é nervosa, doutor.

— Ocorrência boa?

— Isso, as que dão uma nota!

Aprendi que as "ocorrências boas", ou seja, as que possibilitavam a corrupção, o "acerto", eram muito disputadas naquela delegacia, diante da chefia que lá trabalhava.

O delegado titular, escolhido por indicação política, levava a sua equipe para a delegacia, e assim determinava a filosofia daquele bairro.

— Esse pessoal é muito correria, é exagerado — destacou Tom.

Isso significava que aquele delegado titular e toda a sua equipe da chefia eram exageradamente corruptos. A chefia tinha por filosofia de trabalho "correr" atrás de ocorrências que poderiam gerar algum acerto, algum suborno. Entre os investigadores da chefia, um era escolhido para ser o chefe. Tom, numa brincadeira sincera, explicou:

— O chefe dos investigadores é o tesoureiro, doutor, não sabia? — e sorriu.

— Tom, chega dessa conversa, dê um tempo para a minha cabeça. Vamos tomar um café.

Levantei e me dirigi à entrada — sem portas — da delegacia, pensativo. Havia uma praça na frente, e para entrar no imóvel atravessavam-se algumas vagas do estacionamento e subia-se uma escada. Enquanto dava meus passos curtos, viajava mentalmente. Caminhei em direção à escada e desci, degrau por degrau, olhando para baixo. Ao chegar ao último, parei com olhar absorto ao perceber que um carro estacionava. O para-choque dianteiro ficou bem perto das minhas pernas. Olhei para o carro, voltando da minha viagem mental.

Uma mulher desceu do veículo, fechou a porta e fez menção de entrar na delegacia, quando um guardador de carro se aproximou:

— Dez reais para estacionar aqui, senhora.

Achei que estivesse imaginando a cena, fantasiando, aquilo não poderia estar acontecendo. Como um indivíduo tinha coragem de cobrar das pessoas para estacionar justamente ali? Inimaginável aquele "trabalho" de cuidador de carros estacionados em vagas públicas, na porta de uma delegacia de polícia. Não era possível! Em ato reflexo, me aproximei e abordei o guardador. De terno, saindo da delegacia, certamente ele me reconheceu como delegado.

— Você está louco? Onde já se viu cobrar para estacionar aqui? — Apontei a delegacia — Vou te prender!

Rapidamente o escrivão Tom, que vinha atrás de mim, me ultrapassou, ficou entre mim e o guardador e disse:

— Calma, doutor, calma! — Tom olhou para mim, então para o guardador e me ensinou mais uma: — Quanto você paga para o chefe dos investigadores?

— Metade do que eu ganho aqui — respondeu o guardador de carros, sem titubear. A mulher, coitada, ao assistir à cena dantesca, entrou no carro e foi embora. Se eu estava assustado, imagine ela. Fiquei mudo.

— Some daqui ou vai ser preso! — disse Tom ao guardador. Ele saiu andando, afastando-se calmamente, enquanto eu me recuperava daquele estado atônito.

Na padaria próxima à delegacia, no final da praça, pedi um café. Nem precisei colocar açúcar, estava doce em comparação à amarga verdade que acabava de engolir. Tom me explicou que durante a carreira dele não havia conhecido uma chefia verdadeiramente honesta.

— Umas mais correrias, outras menos, mas chefia de distrito vive de acerto, doutor — desabafou o escrivão.

Sobre aquela gestão, Tom falou em "sangue nos olhos", que eles "iam pra cima" e que "a máquina aqui funciona sem parar". Parecia exagero, mas depois do guardador de carros eu me inclinava a acreditar em tudo. Olhei para Tom como quem já tinha visto demais. Não falei nada, ele sorriu e concluiu:

— O senhor ainda não viu nada, nada! Seja bem-vindo — ironizou.

Olhando para trás, hoje sabendo o que estava por vir, vejo que ele estava certo. Era apenas a entrada em um mundo singular.

Tom era um bom escrivão de polícia. Registrava boletins de ocorrência sem parar, rapidamente. Ele era a equipe. Enquanto isso, o investigador — no 24º DP, cada equipe de plantão tinha um delegado, um escrivão e um investigador — ficava sentado olhando para a parede. Era um rapaz novo, ainda longe dos trinta anos de idade. Ele costumava passar horas como um zumbi, olhar absorto, voltado para o nada, sentado com as pernas abertas e as nádegas no meio da cadeira. O olhar era direcionado à parede, mas como se estivesse em outra dimensão. Sua conduta me irritava. Não era justo, ele sequer atendia o telefone do plantão. Enquanto eu e o Tom trabalhávamos sem parar — eu também fazia o trabalho de escrivão —, o investigador apreciava a parede descascada e esburacada. Pelo menos a carceragem do 24º DP estava desativada.

Certa vez, enquanto ele contemplava a parede, resolvi censurá-lo, encarando-o. O investigador, acredito que de propósito, abriu levemente a boca, como se fosse babar.

— Você não pode ajudar em nada? — perguntei.

— Doutor, de boa, estou nesta delegacia de castigo, não estou fazendo correria e minhas contas estão vencendo. Tomei ripa da Fazendária. Não lhe darei trabalho, mas não vou fazer nada, não.

Descobri depois, por meio do Tom, que o investigador estava com umas piças na corregedoria. Termo frequente no meio policial, "piças" era a gíria para os procedimentos administrativos, possíveis processos. Parece que ele estava sendo processado criminalmente, pior, tinha inclusive ficado preso por trinta dias no presídio da Polícia Civil.

Requerer providências pela indolência dele durante o plantão seria inócuo, para não dizer hilário. Por incrível que pareça, me contentei com a promessa dele. "Pode babar se quiser, mas se não causar problema, estarei satisfeito", pensei.

A menção à Fazendária me fez lembrar da opinião do Cadeirudo, a de que todo delegado novo deveria ficar seis meses naquele lugar, "para comprar a casa própria".

— Tom — perguntei reservadamente —, o que a Delegacia Fazendária e o Detran têm em comum?

— Essa eu sei — gargalhou. Tom achou que eu estivesse brincando de adivinhas.

— Tom, estou falando sério.

A gargalhada morreu, Tom respirou fundo e respondeu:

— São os lugares onde se ganha muito dinheiro, doutor. Não há lugar como esses na polícia.

— A corrupção pode existir em qualquer lugar, Tom, você mesmo não me disse que a chefia aqui é "nervosa"?

— Verdade, doutor, mas nesses lugares se ganha sem fazer nada, sem risco. Imagine os acertos da Delegacia Fazendária, só empresários devendo impostos, coisa alta.

— E o Detran?

— Meu Deus — disse ele, colocando as mãos na cabeça. — São Paulo tem a maior frota de veículos do Brasil, doutor, é um dinheiro que nunca veremos, nunca!

— Dá para comprar a casa própria — brinquei, lembrando da aula.

— Em um ano nesses lugares dá pra comprar uma bela casa — concluiu o escrivão.

Embora mais cansativos, eu preferia os plantões noturnos. Muito mais. Na delegacia, só ficava a minha equipe, nada de chefia. No final, eu me sentia mais seguro sozinho com o Tom e o investigador — este prestes a ser demitido —, mas sem "fazer correria", ainda que seu olhar continuasse perdido mirando a parede, como se fosse babar.

Não que fossem fáceis as madrugadas. Diante das instalações muito precárias — nem porta principal a delegacia tinha —, eu avisava o Tom e me escondia dentro do meu carro, atrás do prédio, para cochilar. Não havia uma sala para o delegado de plantão, nem um pequeno sofá velho, só os deploráveis móveis. As baratas não se intimidavam, muito menos temiam a polícia, desfilavam aos montes pelo prédio, talvez à procura da secreção pegajosa produzida pela boca do investigador.

No plantão seguinte, diurno, Tom se aproximou e me informou, como de costume, sobre uma ocorrência. Tratava-se de uma captura de procurado. Quando há uma ordem de prisão contra alguém, um mandado de prisão, e não se encontra essa pessoa, ela é considerada um procurado, ou "procurado pela Justiça". Assim que alguém encontrá-la, deve-se cumprir esse mandado, isto é, recolher essa pessoa ao cárcere e comunicar o juiz que deu a ordem. Para isso, formaliza-se um boletim de ocorrência de captura de procurado, essa é a natureza do documento.

Durante o plantão, dois policiais militares trouxeram um indivíduo que estava com um mandado de prisão em seu desfavor. Tom me avisou que entre as ocorrências havia essa, de captura de procurado. Bastava colocar na fila de atendimento.

Ocorre que depois de meia hora perguntei ao Tom sobre o procurado. Ele me disse que o delegado titular decidiu fazer a ocorrência no nome dele. Como não seríamos nós que faríamos, pensei (com a ingenuidade de quem é novo na função): "Que bom, a chefia ajudando o plantão, são muitas ocorrências mesmo".

Tom olhou para fora da delegacia, estávamos no corredor. Sem falar nada, percebi a mudança em seu olhar. Ele falava com os olhos. Virei a cabeça para fora do prédio e lá estava o delegado titular conversando com outro homem, de terno, e o terceiro, o próprio procurado pela Justiça. Conversaram rapidamente, deram risadas, pareciam amigos. Depois, o advogado se despediu, o procurado se despediu e foram embora.

— Tom...
— Isso mesmo, doutor. O advogado chegou com o dinheiro, não sei quanto, pagaram e foram liberados. Nada foi registrado. — E acrescentou: — Já vi esse advogado aqui antes; é criminalista, dizem que é dos bons.
— Mas e os policiais militares?
— Correram juntos nessa, também ganharam. Parece que já tinham a informação sobre o mandado de prisão e foram atrás do procurado. Se tivessem pesquisado pelo rádio, não poderiam soltar o fulano.

O delegado titular, alto, bonachão, usando terno e suspensório, passou pelo plantão após dar tchau ao advogado e ao procurado, então me cumprimentou com um gesto e subiu ao primeiro andar.

É incrível, o ser humano se adapta a tudo. O *front* transforma você e faz com que se acostume com o bizarro. Mantive, convicto, a minha honestidade. Mas, depois de um tempo, cenas como essa não me deixavam mais atônito. E eu estava há poucos meses no plantão do Decap, onde tudo acontecia.

Eu não aguentava mais aquele lugar. Uma delegacia deprimente, insalubre, sem recursos materiais ou humanos. Não demorou mais de uma semana até sair a condenação do meu investigador. Ficamos só eu e o Tom. Além disso, eu não sabia quando outro procurado seria indevidamente solto na minha frente. Eu tinha de fazer alguma coisa.

Depois de um plantão noturno, cansado, tendo chorado baixinho e escondido dentro do carro, criei coragem e, durante o dia, liguei para um delegado amigo meu, o doutor Mário. Amigo de longa data, correto e vocacionado, me atendeu na hora. Conheci Mário na década de 1990, quando fui seu estagiário — na época eu fazia faculdade. Após saber da minha paixão pelo Direito Penal, passou a me incentivar a prestar concurso para delegado de polícia. Sentia-me orgulhoso quando ele falava a outras pessoas sobre a minha retidão, sobre a necessidade de pessoas como eu na Polícia Civil.

Pedi, sem pudor, ajuda para sair da delegacia de São Miguel Paulista. Como tinha intimidade com ele, abri o jogo, disse que a "correria" naquele distrito era "nervosa", "sangue nos olhos". Ele me prometeu falar com outro delegado seccional, um que ele conhecia, para me trazer para mais perto.

Temendo ser visto como indisciplinado, aproveitei uma reunião na 7ª Seccional, onde eu estava, para avisar o meu delegado seccional sobre a intenção de ir para um lugar melhor.

— Doutor seccional, está muito difícil trabalhar no 24º DP. Muito longe, e a minha equipe não é muito boa. — Não era louco nem ingênuo de falar a verdade, que a correria lá era turbinada. E, convenhamos, era muito longe mesmo.

— Aguenta mais um pouco lá, depois te ajudo — respondeu o delegado rispidamente. — Mas se você tem padrinho, pode se virar.

Eu não tinha padrinho. Quer dizer, talvez o Mário tenha sido meu padrinho. A verdade é que, como eu não podia pedir exoneração, precisava do emprego, só pensava em ir para um lugar melhor. E não é que deu certo? Mário me ligou e deu uma data para eu falar com o delegado da 5ª Seccional. Embora ainda na zona leste, era muito melhor que a 7ª Seccional.

No dia marcado, fui recebido pelo próprio delegado seccional, muito simpático e educado, muito gentil, no prédio do 81º DP, no bairro do Belenzinho. Nesse prédio, no terceiro andar, ficava a 5ª Seccional.

Diferente do chamado "fundão da leste", onde eu estava, a 5ª Seccional atendia uma região menos carente, mais próxima ao centro da cidade, abrangendo, por exemplo, os bairros da Penha e do Tatuapé.

— Você aprontou lá, Rodrigo, brigou com alguém? — perguntou, em tom gentil, o 5º seccional.

— Não, doutor, é que eu moro em Moema, a distância está complicada.

— Mário falou bem de você, vou te ajudar.

Permaneci sentado na frente dele. A mesa ficava no centro de uma grande sala, não menos decorada que a do delegado da outra seccional. A vaidade não se preocupa em disfarçar sua presença nessas salas.

Eu tinha ouvido falar desse delegado seccional, doutor Danilo. Diziam que sua bondade era comprovada, ajudava todos, sem distinção. Fisicamente parecia um paizão, gordo e de fala mansa, do tipo que chega a acalmar. Sua boa fama era verdadeira. Ligou para o outro seccional na minha frente e pediu que ele me liberasse. Disse que eu iria para o 86º DP, na Vila Formosa, pois um delegado de lá morava na Penha, mais perto de São Miguel Paulista. E eu morava em Moema.

Embora eu estivesse de castigo no 24º DP, a minha infração — fazer uma sugestão em uma reunião — não era tão grave. Graças a Deus o pedido foi atendido. Passei mais quinze dias no 24º DP, que pareceram uma eternidade.

Só mais um dia de plantão em São Miguel Paulista, dessa vez com gosto de reconhecimento, não de ripa. Despedi-me do Tom, que tinha sido um bom escrivão, parceiro. Nunca mais o vi, porém carrego a lembrança de todos os seus esclarecimentos. O investigador, nem soube do seu destino quando saí da delegacia. Condenado criminalmente, provavelmente estaria sentado, olhando para alguma parede, prestes a babar.

CAPÍTULO 4
86º DP: "A calmaria"

Fui ao 86º DP me apresentar, muito mais perto, cerca de vinte quilômetros da minha casa. Eu estava feliz, o dia estava bonito e o sol brilhava. A delegacia era muito mais bonita, daqueles modelos novos de arquitetura. Feita de concreto aparente, mesclado com a pintura branca, mostrava-se mais nova que a delegacia de São Miguel Paulista. O projeto previu a instalação do plantão policial logo na entrada, de modo que as três baias de atendimento e a mesa do delegado de plantão, mais alta, eram de concreto, faziam parte da construção.

Eu me senti recompensado por sair do buraco, uma semente de orgulho pela carreira que exercia tentava nascer. Se Deus, o destino ou outro nome que a nossa crença dê parece ter possibilitado a minha ida àquela delegacia, também me fez encontrar, logo na entrada, o delegado que tinha sido ripado para o 24º DP no meu lugar.

— Isso não vai ficar assim — disse ele me encarando, com raiva em seu corpo. — Eu voltarei, pegarei esse lugar de volta, pode esperar. Também tenho padrinhos. — E saiu em direção ao estacionamento, sem esperar que eu falasse algo.

Que ingenuidade a minha, ter acreditado que ele tinha concordado com a transferência para o 24º DP. Na verdade, ele tinha tomado uma ripa, um bonde, para que eu ficasse em seu lugar. Eu nem o conhecia, mas me senti culpado. Ainda que por via oblíqua, sem intenção, eu havia provocado a ripa dele. Fiquei sabendo que aquele humilde delegado não tinha feito nada para ter merecido a transferência.

O fato é que o 5º delegado seccional resolveu me ajudar e pediu um nome para o titular do 86º DP, simples assim. O delegado escolhido foi ripado apenas por ser o mais novo na delegacia. O titular utilizou o critério da antiguidade, que até parece justo, mas, convenhamos, se ele tivesse padrinho, não seria ripado, outro seria escolhido.

Antes de conhecer o bairro da Vila Formosa, eu não sabia que lá ficava o maior cemitério da América Latina. O bairro ao redor do distrito policial é gostoso, tem cheiro de parque, de árvore. As ruas são muito sinuosas, nem sei quem loteou aquele bairro. Devia estar embriagado.

O fato é que a tranquilidade predomina na Vila Formosa. Com muitas casas, sobrados, andar pelas ruas tortas do bairro traz paz. Eu gostaria de morar naquele lugar. O cheiro de asfalto misturado com a natureza, cheiro de terra molhada, aquele que se levanta no início da chuva, sempre me faz lembrar de lá.

Até que enfim. Depois de algumas batalhas no *front* e muito aprendizado, minha transferência para o 86º DP parecia ter me tirado do buraco. Eu entraria em uma ótima fase dentro da polícia. A semente do orgulho profissional despontava rapidamente. No primeiro dia, eu olhava para aquele grande terreno ao lado direito do prédio da delegacia. Estava limpo, alguns carros abandonados não se sobrepunham à beleza do lugar. A pintura era nova, o chão era limpo, bem diferente de São Miguel Paulista. O tempo desacelerou.

A rotina de trabalho era a mesma, o plantão e a chefia. Os colegas plantonistas eram simpáticos. Conheci e me aproximei de dois delegados, Márcia e Marcos. Assim como eu, cada um tinha a sua equipe de plantão. Marcos tinha sido da minha turma da Academia, o que facilitou a amizade. Além disso, sua honestidade era evidente.

Além deles, Catarina recepcionava com muito carinho todos os que chegavam à delegacia. Assim que olhávamos para ela, percebíamos que mandava naquele lugar, havia muito tempo. Sem raça definida, ou seja, uma legítima vira-lata, sentava-se imponente na porta principal. É fácil imaginá-la, inteira na cor bege clara, mas igualzinha ao caro cachorro da raça Jack Russell. Só havia um animal na delegacia, a Catarina, embora no bairro, pelas ruas, muitos abandonados, infelizmente, perambulavam. Fácil saber por que só ela ali: qualquer animal que se atrevesse a se aproximar da delegacia era peremptoriamente expulso pela Catarina.

Como nada pode ser perfeito, o 86º DP possuía carceragem. Embora a capacidade fosse para cinquenta presos, às vezes passava de cem detentos. Ingressei na carreira em uma fase de desativação das carceragens nas delegacias de São Paulo. Na década de 1990, todas as delegacias abrigavam uma enormidade de presos, sem quaisquer condições, motivo pelo qual as fugas eram frequentes.

As desativações, entretanto, não obedeciam a um cronograma certo. Enquanto algumas foram desativadas rapidamente, outras permaneciam com os mesmos problemas. Onde há cadeia, há problema. Eu os conheceria um a um.

Mas tudo bem, isso não foi suficiente para diminuir meu entusiasmo. As pessoas de lá pareciam combinar com o bairro, gentis.

Fiquei muito tempo naquele distrito. Três anos. Minha equipe e meus policiais eram o que eu imaginava antes de ingressar na carreira. O escrivão se chamava Juvêncio e morava bem próximo à delegacia. Trabalhava há anos no mesmo lugar, fazia seu serviço com qualidade e dedicação. Meu investigador era recém-formado em Direito, o Rubens. Rapaz correto, cujo futuro promissor era perceptível. Vaidoso, preocupava-se muito com o próprio penteado, qualquer espelho prendia a sua atenção.

O fato de o bairro ser residencial e ter um movimento visivelmente menor ajudava a fluir o plantão. As pessoas não precisavam esperar tanto, os escrivães trabalhavam em condições minimamente salubres. Os investigadores eram bons. As equipes se ajudavam, sempre conversávamos durante as trocas de plantão, muitas saídas com o sentimento de dever cumprido.

E a chefia? Era tranquila, sem muita movimentação. Os policiais do plantão diziam que existia, sim, a correria, mas lá, por muito tempo, ficou mais para uma "caminhada". O delegado titular era gentil, dizia muito que não queria problema.

CAPÍTULO 5

86º DP – Primeira fase:
"Hierarquia de pensamento, só na ditadura"

Posso dividir o tempo que passei na delegacia da Vila Formosa em três fases, bem distintas. A primeira foi muito boa, parei de estudar para outros concursos públicos, me sentia realizado. Não me lembro de situações extremas como as vividas anteriormente. Pelo contrário, lembro com saudades daquela época. Já as outras duas fases...

Aprendi que o mundo paralelo da Polícia Civil, aquele perverso, das leis bizarras — e que me convenceu a tornar pública a minha história —, é fluido e, basicamente, determinado por dois fatores: o lugar e as pessoas.

Isso quer dizer que o lugar, por si só, tem uma identidade. Estar na Vila Formosa é radicalmente diferente de estar na Delegacia Fazendária, ou no departamento de drogas, ou no Detran. Isso mesmo, estou falando sobre corrupção. Há lugares naturalmente "ruins" para se "ganhar dinheiro", por exemplo, o departamento de homicídios. Outros, entretanto, são famosos na polícia, como o departamento de narcóticos ou de crimes fazendários. São "bons", segundo o submundo da ilegalidade.

Mas a fluidez do sistema decorre também do segundo fator, as pessoas. Pessoas corretas diminuem ou aumentam o nível da corrupção em determinado lugar, seja na Vila Formosa ou no Denarc. Vivenciei o 86º DP mudar de um extremo a outro.

Em meus três anos nessa delegacia passei muitos meses de bonança, depois de ter atravessado algumas tempestades nas duas delegacias anteriores. O ânimo com a carreira gradativamente aumentava. Era comum os mais velhos repetirem o mantra: "Isso aqui não tem jeito, não, estude e vá embora". Essa frase é repetida por inúmeros delegados, mesmo pelos das castas superiores, que insistiam em lembrar da imprescindível "hierarquia e disciplina". Entre policiais e delegados — honestos ou corruptos — parecia existir um estranho consenso sobre a Polícia Civil ser um barco à deriva.

Mas eu não pensava assim durante a minha primeira fase na polícia. Comecei a dar aula de Direito Penal em cursos preparatórios para concursos e também para o exame da Ordem dos Advogados. Além da realização pessoal, os cursinhos pagavam bem. Saía das aulas direto para a delegacia. O assédio aos professores é conhecido. Professor delegado, então... As alunas me olhavam como um herói bonitão, os alunos pareciam invejar a minha carreira. A autoestima aumentava.

Escrevi e publiquei um artigo jurídico sobre um crime que envolvia a antiga lei de armas de fogo. Recebi o reconhecimento almejado, minha vida acadêmica me realizava.

Além disso, a investigação é uma atividade viciante e gratificante. É muito compensador descobrir o autor de um homicídio, pedir a sua prisão e colocá-lo na cadeia. O trabalho policial investigativo não é fácil: o cruzamento de dados, a colheita de provas, de depoimentos. Embora exista doutrina a respeito, acredito que alguns policiais se destacam pelo tirocínio, uma espécie de poder de percepção sensorial que vai além dos cinco sentidos habituais.

Infelizmente, a sociedade não valoriza e nem imagina como existem policiais dedicados. Fiz inúmeros flagrantes de maneira caprichada. Isso quer dizer que, diante da apresentação do investigado, das testemunhas e dos objetos, cabe ao delegado saber como interrogar o preso, quais perguntas são realmente importantes, quais não são. E mais, mesclar perguntas tolas com as essenciais, confundir o criminoso. Imprescindível escolher os crimes certos na lei penal, identificar com precisão onde se encaixa cada conduta criminosa.

Lembro do sabor do trabalho no 86º DP, gosto de realização profissional. A memória do cheiro também é boa, mas levemente misturada com o cheiro da Catarina molhada. Embora déssemos banho nela, que ia de viatura ao *pet shop*, a cachorra sempre estava rolando na terra. Ainda que raramente, durante as madrugadas quentes ela trazia ratazanas mortas que havia caçado para dentro da delegacia, para nos agradar.

A tranquilidade da primeira fase me faz lembrar, ainda, das ocorrências inusitadas que aparecem no plantão policial, que dá fundamento à conhecida frase "a gente ganha pouco, mas se diverte".

Certo dia, quando eu ainda era novo na polícia, o delegado, idoso, prestes a se aposentar, sentado na sua respeitável cadeira, me disse:

— Rodrigo, nunca se esqueça, os plantões, sejam de delegacia ou de hospital, são como curva de rio, enrosca de tudo.

Enquanto conversávamos e eu ganhava experiência, pude presenciar a entrada de um homem no plantão para ser atendido.

— Quero falar com o delegado — disse ele em tom sério. Vestia roupas simples, mas limpas. Uma calça jeans e uma camisa polo, um pouco surrada. Magro e alto, falava com as mãos nos bolsos e um olhar abstrato. Parecia olhar para um mundo exclusivo.

— Aqui não tem nenhum delegado — respondeu o próprio delegado. — Aqui é hospital, sou médico psiquiatra!

Quase dei risada, mas olhei para o delegado, que estava sério. Fechei o rosto. O indivíduo continuou sério e exigiu confirmação:

— É sério isso?

— Claro, cuido de pessoas doentes, com problemas na cabeça e que precisam de ajuda.

— Obrigado. — Então virou-se de forma calma e séria e foi embora.

O delegado antigo me olhou, experiente, e disse:

— Com o tempo, você perceberá de longe se é um 13 — e sorriu ao perceber que naquele momento o meu olhar se aproximava ao do pobre indivíduo. Após se gabar, com razão, explicou que 13 era o código utilizado para denominar os loucos. Você aprende rápido que se chamá-los de loucos é bem possível que tenham um surto e quebrem toda a delegacia. Dizer ao colega do lado que se trata de um 13 é bem mais inteligente — e evita problemas.

O primeiro 13 é como a primeira ripa, a gente nunca esquece. Eu estava no plantão quando um homem bem vestido chegou querendo fazer um boletim de ocorrência contra o irmão, por roubo.

— Pois não, senhor, o que o seu irmão lhe roubou? — perguntei, como de costume.

— A minha alma — respondeu ele firmemente. — O problema é que sem a alma o meu corpo fica vazio, e eu não consigo andar.

— E como o senhor veio andando até aqui? — não resisti. Mas ele prontamente respondeu:

— Ele colocou um bode pelo meu olho esquerdo, aí consegui vir até aqui — e ficou me olhando seriamente.

— Anote os dados do irmão dele — disse alto para o investigador Rubens. — Nós vamos investigar.

Ele agradeceu e foi embora tranquilamente.

Em outra ocasião, um colega recebeu uma "vítima" — 13, na verdade —, que disse ter sido roubada:

— Roubaram todas as minhas veias! Quero fazer um boletim de ocorrência! — exigia o 13, inconformado.

O escrivão, mais antigo e experiente, se antecipou, pegou um papel em branco e fez algumas anotações. Depois estendeu a mão para o pobre coitado, entregando-lhe aquele papel:

— Boletim não podemos fazer, mas aqui está um ofício de encaminhamento ao Hospital das Clínicas, lá o senhor receberá grátis um "kit veias", já instaladas!

— Muito obrigado — respondeu o sujeito. Pegou o papel e saiu satisfeito.

Minha coleção de histórias inusitadas do plantão policial fazia de mim uma espécie de comediante nos encontros entre amigos. Durante a primeira fase no 86º DP, a minha maior preocupação era lembrar das ocorrências, pois contá-las em aula facilitava lecionar a matéria.

Certo dia, chegou ao plantão uma senhora muito idosa, parecia ter mais de 100 anos, mas com muita energia nos trejeitos e na voz. Chegou à delegacia nervosa, ninguém conseguia atendê-la. Aproximei-me com muita educação, pedi calma.

— Vocês precisam me ajudar! Deixei meu sofá na rua Braga, para arrumar, no tapeceiro, e ele colocou fogo no meu sofá. Colocou fogo! — Ela apontava em direção à rua, com o braço levantado, enquanto desabafava.

— Como assim colocou fogo no sofá? — perguntei.

— Pois é, deixei para arrumar e voltei hoje para buscar meu sofá. — Abaixou o tom de voz, colocou as duas mãos nos olhos, segurando um lenço e limpando uma lágrima. — Ele me xingou e disse que colocou fogo no sofá.

— Vamos fazer a ocorrência, fique calma.

Enquanto eu pegava o documento de suas mãos trêmulas, fiquei pensando em qual crime colocaria o fato. Olhando para ela, me compadeci, um absurdo tratá-la daquela forma, uma idosa. O que dizer de um tapeceiro que coloca fogo em um sofá deixado para conserto?

— Que dia a senhora deixou o sofá no tapeceiro? — perguntei, continuando o preenchimento do boletim de ocorrência.

— O dia não sei, meu filho, mas foi uns quinze anos atrás.

Por um breve momento achei ter entendido errado. Aquela simpática senhora tinha deixado o sofá havia quinze anos no conserto e bem naquele dia voltou para buscá-lo. Fiquei imaginando o tapeceiro quando viu a senhora, depois de quinze anos. Deve ter pensado, inicialmente, que era uma assombração.

Obviamente ela não tinha mais qualquer direito sobre aquele sofá, não o tinha havia anos. Como explicar para ela que não havia o que fazer, que se qualquer crime tinha ocorrido, ele já prescrevera? Ela tinha abandonado seu bem há mais de uma década. Tive uma ideia:

— Bom, a senhora deveria ter buscado seu sofá antes. Me responda: — enfatizei — a senhora não teve um dia, um diazinho sequer nesses quinze anos para buscar o sofá? — Foi o jeito encontrado para que ela percebesse a longa demora em voltar ao tapeceiro.

— Pois é, meu filho, não tive, acredita? Muita coisa aconteceu. Meu marido morreu, mudei para o Rio de Janeiro... Muita coisa, mas hoje eu tive um tempinho e fui buscar o meu sofá.

Então lá se foi aquela simpática senhora, não mais tão simpática quando soube que não tinha direito de reclamar o seu sofá.

A fase boa persistia. Eu trabalhava feliz e exercitava a minha vida acadêmica.

Um dia recebi uma ligação, era o meu pai:

— Ligaram de Brasília! Ligaram de Brasília! Querem te entrevistar, parece que é da rádio do Supremo Tribunal Federal, a Rádio Justiça! — disse ele, empolgado e orgulhoso.

— Pai, estou no plantão. Pode xingar, deve ser algum amigo me passando trote.

Meu pai estava certo, ainda bem que não ofendeu os que ligaram novamente. Após alguém da rádio ter lido o meu artigo sobre o crime de arma de brinquedo, fui convidado para uma entrevista ao vivo. Avisei todos os meus amigos que teriam de assistir pela internet, já que a rádio ficava em Brasília.

Um dia antes da entrevista, fui almoçar na sede da Associação dos Delegados, na avenida Ipiranga, centro de São Paulo. Mais orgulhoso do que no dia anterior, mas menos do que ficaria no dia da entrevista, encontrei o Marcos, com quem havia combinado de almoçar.

— Preparado? Muito legal, a entrevista. Pense, rádio do Supremo Tribunal Federal! — disse ele, empolgado e orgulhoso do amigo.

Ainda estávamos em pé, prontos para nos servir no bufê, quando um delegado idoso que estava na nossa frente na fila, vestindo um terno ultrapassado e uma gravata que parecia parte de uma cortina, indagou irritado:

— Entrevista?

— Isso mesmo, legal, não é? — respondi. — Fui convidado para falar sobre a lei de arma de fogo, para a rádio do Supremo Tribunal Federal. — Mais uma vez, ingênuo, achei que seria elogiado.

— Você pediu autorização ao seu superior? — questionou ele.

Eu não conhecia aquele dinossauro em forma de delegado. Sua conduta resumia com precisão a crise ferrenha que assolava a instituição: a tentativa esquizofrênica de misturar uma carreira jurídica com a hierarquia militar.

Não resisti:

— Doutor, hierarquia de pensamento, só na ditadura! — e saí com meu prato vazio, em busca de um pouco de paz para almoçar.

A entrevista na rádio foi um sucesso e fui convidado outras vezes para falar sobre Direito Penal. Nessas ocasiões, eu não contava para ninguém, exceto para a minha família e meus amigos.

Deparar-me com a vetusta autoridade naquele almoço foi o prenúncio do que estava por vir. A fluidez na polícia não permite que tenhamos uma carreira retilínea no Decap. As duas regras são implacáveis: o local continuou o mesmo, mas as pessoas da chefia mudaram.

CAPÍTULO 6
86º DP – Segunda fase:
"Misturando água e óleo"

A natureza à nossa volta parece nos acompanhar, poética. O bonito terreno ao lado da delegacia não era mais um tapete de grama verde. Carro a carro, se transformara em um mar de veículos apreendidos, apodrecendo como em um cemitério abandonado.

Nos termos da legislação vigente, os objetos apreendidos relacionados a crimes ficavam sob a responsabilidade do escrivão de polícia. É por isso que cada delegacia possui um cofre. Na verdade, na maioria das vezes, o cofre nada mais é do que uma sala normal, mas cuja chave fica em poder do chefe dos escrivães. Funciona assim: o escrivão de plantão recebe o objeto apreendido — discriminado em detalhes no respectivo documento de apreensão — e depois entrega, mediante recibo, ao chefe dos escrivães.

Posteriormente, os objetos têm a destinação respectiva: as drogas são incineradas; as armas, encaminhadas ao local adequado; o dinheiro, depositado em conta judicial, e assim por diante. Os veículos, após a elaboração do auto de exibição e apreensão, devem ser encaminhados ao pátio próprio para esse fim. Alguém acredita que um carro cabe no cofre da delegacia? A falta de destinação adequada, de envio dos veículos ao pátio, era a responsável pelo cemitério deprimente.

Esse cenário se formava logo após a mudança do delegado seccional, e consequentemente a da maioria dos delegados titulares. Uma dança das cadeiras. Naquela época eu conversava muito com o Marcos. Partidários da mesma filosofia de vida, ou seja, manter a honestidade como norte, ficamos amigos. As alterações no Decap e a chegada de um delegado titular novo ao 86º DP naturalmente nos causavam receio. Não queríamos que a nova chefia fosse "nervosa", "muito correria". Estávamos satisfeitos até então, numa fase boa, cada um com a sua equipe de plantão.

No entanto, a porta de entrada para uma fase sombria se abria lentamente: a alteração do sistema de trabalho nas delegacias. Dentro da polícia, é conhecida a coexistência das duas realidades em um distrito policial territorial: de um lado as equipes plantonistas, e de outro as chefias, com os seus respectivos problemas.

Ordinariamente, a chefia de uma delegacia era composta pelo delegado titular e seus policiais, inúmeros investigadores de polícia e escrivães. Os inquéritos policiais, procedimento para formalizar as investigações, eram divididos pelos escrivães. Havia delegacia com mais de mil inquéritos em andamento, mais de duzentos procedimentos para cada escrivão de polícia. Isso significava que o delegado titular não presidia os inquéritos de fato, não participava da coleta de testemunhos, nem dos interrogatórios. Os escrivães se tornavam os "presidentes" de fato. Com relação aos investigadores, pior ainda. O indicado para ser chefe dos investigadores se tornava o coordenador das investigações, uma vez que os policiais são divididos em equipes de dois ou três investigadores.

Estava configurada a possibilidade de corrupção sistêmica, descontrolada.

Em outras palavras, a chefia não era chefiada, ficava à sorte dos próprios policiais. Alheio a esse mundo — graças a Deus —, existia o plantão no térreo das delegacias, composto por equipes distintas. Nesse sistema, cabia a mim controlar apenas a minha equipe, atender às ocorrências a mim apresentadas e decidir sobre elas.

Não há integrante do departamento que desconheça a existência de corrupção nas chefias. Muitos policiais, delegados honestos, tentaram acabar com esse sistema. Em última análise, é a tentativa de devolver ao delegado de polícia o controle das suas próprias atribuições, presidência das investigações, da própria delegacia.

Nesse contexto, a nova diretoria implantou um outro sistema de trabalho nas delegacias da capital. Consistia em um projeto quimérico, fantasioso, que prometia "acabar com o plantão". Todos os delegados passaram a trabalhar na chefia, de segunda a sexta-feira, horário de expediente.

Eu, o Marcos, a Márcia, todos trabalhando juntos diariamente, com o titular e todos os policiais. Os investigadores e escrivães foram divididos pelo número de delegados, como se houvesse cinco ou seis chefias na mesma unidade. Assim, houve morte do investigador-chefe — do tesoureiro, como alguns diziam — e a derrocada dos delegados titulares. Todos passaram a ter o mesmo poder na sua área de atuação.

Mas e o atendimento às ocorrências? Mais policiais vieram para os distritos? Claro que não. Passamos a trabalhar dobrado. Além de todos os dias, no horário de expediente, havia uma escala de plantão de que também participávamos. A partir da implantação desse novo sistema, existiriam equipes fixas de plantão apenas durante as noites. As ocorrências do dia eram divididas entre todos.

O plano foi idealizado por pessoas bem-intencionadas. Primeiro porque dividia os policiais pelos delegados, criando maior controle sobre aqueles. Depois, e mais importante, ainda que o delegado titular fizesse vista grossa para alguma ilegalidade no bairro, outro poderia agir e prender quem descumprisse a lei.

Com esse sistema, o chefe dos investigadores passaria de "tesoureiro" para um mero chefe administrativo, distribuidor de férias. Os investigadores, divididos, deveriam se reportar diretamente a um delegado. Assim, com todos os delegados trabalhando ao mesmo tempo, a manutenção da corrupção no bairro seria dificultada.

Há uma lenda antiga que conta existir pagamento de propina a delegacias, para manter a prevaricação, a não atuação. Por exemplo, um desmanche de veículos roubados. Pelo sistema antigo, bastava a anuência de um delegado titular para que esse tipo de local pagasse uma mensalidade à delegacia.

Agora seria diferente, pelo menos essa era a pretensão. Com cinco ou seis delegados trabalhando concomitantemente, a inércia de um não atingiria os demais, que, se honestos, poderiam efetuar a prisão dos criminosos no referido desmanche.

Tenso.

O plano foi imposto pela diretoria com a anuência da Delegacia Geral. Ele nos foi apresentado em uma reunião, pelo novo delegado seccional, na mesma sala chique em que eu estive pedindo ajuda ao delegado seccional anterior, o doutor Danilo.

A sala estava lotada, quase todos os delegados titulares das dez delegacias subordinadas àquela seccional estavam presentes, assim como os inúmeros delegados plantonistas.

Sentamo-nos em um canto eu, o Marcos e a Márcia. Os plantonistas naturalmente se acomodavam mais afastados da mesa central daquela enorme sala. Éramos a casta inferior. Os delegados titulares formavam um semicírculo, próximos à cadeira ainda vazia do seccional.

— Conhecem o doutor Leonardo? — murmurou um delegado sentado próximo a nós.

— Não conheço — respondi.

— Ouvi falar dele — acrescentou Márcia, parece que é casca-grossa.

— Insuportável — completou o colega. — Trabalhei com ele na zona sul, maltrata todo mundo.

— Vamos ver no que dá esse plano novo — desabafou Marcos.

O silêncio veio como uma onda na enorme e pomposa sala. O novo seccional entrou como se fosse um mafioso — talvez fosse mesmo. Baixo, vestia um terno alinhadíssimo — a gravata acompanhava o terno e ambos desdenhavam de nós, evidente que custavam muito mais do que o salário de um delegado de polícia.

O doutor Leonardo era pura arrogância, sua altura não o impedia de olhar sempre por cima. Ele se aproximou de sua cadeira cumprimentando alguns titulares com as mãos. Sentou-se lentamente. Leonardo morreria em seis meses, consumido por um câncer de pulmão que ele fingia desconhecer.

— Estamos passando por tempos difíceis, meus queridos — iniciou o delegado seccional. — Tomem cuidado, mudou o corregedor e me avisaram que a perseguição será forte.

Os delegados titulares o olhavam atentamente, pareciam reverenciá-lo de alguma maneira. Eu permanecia no fundo da sala, meio abaixado, tentando não ser notado.

— Um absurdo! — bradou acendendo um cigarro. Parecia realmente irritado. — Vocês pensam o quê? — deu um soco na mesa e concluiu: — Somos apenas trombadinhas se comparados à Secretaria da Fazenda.

Alguns titulares deixaram escapar risadas tímidas, concordaram com a afirmação, ou melhor, com as afirmações: a de que era um absurdo a corregedoria apertar o cerco e que éramos "apenas trombadinhas" se comparados à outra secretaria. Fiquei chocado, me sentia em um filme americano, daqueles bem produzidos, tipo *O poderoso chefão*. Nem me lembrava de que lado seria o beijo no rosto do grande chefão, aquele que poderia sentenciar um desertor.

Troquei apenas um olhar com o Marcos. Sem nada falar, ele entendeu meu grito mental: "Não sou um trombadinha!".

Entre uma tosse e outra, profunda e sofrida, o delegado Leonardo distribuía ordens e ameaças:

— Vocês aí do fundo. — Continuei olhando para baixo, disfarçando. — Não quero saber de delegado plantonista insubordinado, estou claro?! — Leonardo externou sua bronca travestido de bedel de primeiro grau.

Alguns mexeram a cabeça concordando, enquanto ele concluía:

— Se arrumar problema, será ripado. Se der chuveirada também.

Ripa fazia parte do meu vocabulário. Chuveirada, descobriria depois.

Ao término da reunião, ficou clara a filosofia do novo delegado seccional. Ele não fazia questão de esconder, embora falasse por símbolos e gírias, ser afeito à correria. As coisas se complicaram, a tensão aumentou.

No primeiro dia do novo delegado titular, Natan, ele me chamou em sua sala. Subi ao primeiro andar e entrei. Ele estava sentado a sua nova mesa, havia mudado todos os móveis da sala, tinha ficado mais bonita. Parecia ser membro da "família" do novo seccional, como em um filme, pois falava manso e meio cantado. Cabelos brancos, magro, me surpreendeu:

— Rodrigo, fiquei sabendo de você, delegado honesto, estudioso. — Olhou-me de cima a baixo. — Continue assim, não dê moleza para os corruptos, a polícia precisa mudar. Faça seu trabalho.

Enquanto eu me afastava de sua mesa, concluiu:

— Cuidado com a tiragem, não confie neles, qualquer coisa me avise.

Eu conhecia a expressão. "Tira" é a designação para o investigador de polícia. Já "tiragem" era o coletivo de investigadores.

O novo plano da diretoria foi implementado. Eu passei a trabalhar de segunda a sexta. Eram três equipes de polícia judiciária: a minha, a do Marcos e a da Márcia, além da equipe do delegado titular. Cada equipe contava com dois investigadores e um escrivão e recebeu uma pilha de inquéritos policiais.

— Mais uma coisa, Rodrigo.

Parei e me virei para olhar Natan.

— Esse eu separei para você — disse o titular, colocando a mão esquerda sobre um inquérito policial e empurrando-o em minha direção.

Olhei a capa, na qual constava estelionato como a natureza do crime a ser investigado. Achei estranho me escolher para um inquérito específico. Desci e entrei na minha sala. Havia três salas no térreo, ao lado do plantão, cada uma para a nova equipe que havia se formado. Comecei a ler aquele inquérito policial, instaurado por requerimento de um advogado, em nome de uma suposta vítima que se dizia empresária.

Noticiava a vítima que havia adquirido uma casa de massagem e danceteria, mas pela narrativa não demorou para eu perceber que se tratava de uma casa de prostituição, embora não se usasse esse nome. O problema, dizia o peticionante, é que lhe foram prometidas dez garotas bonitas para trabalhar na casa e, ao assumir o empreendimento, só recebeu seis garotas, e nenhuma era bonita como o avençado.

Um absurdo. Cheguei a pensar que se tratava de alguma brincadeira, mas confirmei a instauração, o boletim de ocorrência registrado sobre os fatos. Retornei à sala do delegado titular e entrei sem pedir licença.

— Doutor, a suposta vítima de estelionato aqui — mostrei o inquérito — está praticando um crime mais grave, favorecimento à prostituição!

O titular ergueu a cabeça vagarosamente, tirou os óculos e, com calma, pontuou:

— O inquérito é seu, faça o que entender como cabível.

— Mas, doutor, eu não quero confusão, se continuar comigo vou lá e prendo o gerente em flagrante.

— Preciso repetir o que eu disse, Rodrigo? Me deixe trabalhar — e voltou a ler o jornal que estava em suas mãos.

Eu avisei. Muita ousadia requerer a instauração de inquérito por vício oculto, redibitório, menos prostitutas e de menor qualidade em prostíbulo adquirido. A que ponto tínhamos chegado.

Liguei para a seccional e pedi reforço, mais policiais e viaturas, para uma operação que ocorreria naquela noite. Por volta das

22 horas nos dirigimos até o local: uma pequena casa na avenida com uma enorme placa luminosa na porta que dizia "Panteras da noite".

Eu me senti em um filme — pelo menos dessa vez, era de ação. O local era pequeno, um bar, com cadeiras e um pequeno palco à frente. Entrei primeiro, vários policiais atrás, estávamos em cinco ou seis viaturas. O lugar era escuro, cheirava coisa velha e molhada. Alguns clientes estavam sentados no bar, enquanto uma mulher dançava no *pole dance*, apenas de calcinha e com os seios à mostra. Cheguei perto de um rapaz que controlava o som:

— Pare o som, acenda a luz. Aqui é a polícia e este prostíbulo está fechado!

Um homem bem arrumado, com olhar de espanto, um pouco contrariado, se aproximou:

— O que está acontecendo?

Perguntei se ele era o responsável pelo estabelecimento. Ele respondeu que sim, motivo pelo qual sentenciei:

— Você está preso!

As luzes foram acesas, a música interrompida bruscamente. Um susto para os frequentadores. Com a claridade, o ambiente se mostrou mais insalubre do que parecia. Alguns policiais subiram rapidamente ao primeiro andar. Para configuração do crime, seria necessário constatar que se tratava de uma casa de prostituição. Surpreenderam clientes fazendo sexo com garotas de programa nos quartos. O flagrante estava configurado. Caixas de preservativo, mais de cem unidades, e outros detalhes auxiliavam na materialidade da ocorrência.

— Doutor — disse em voz baixa um investigador, em tom irônico — pode ser crime, mas o novo dono foi enganado mesmo. Quanta mulher feia.

O gerente, responsável pelo local, foi preso. As garotas de programa foram para a delegacia e, como de costume, qualificadas apenas como testemunhas. A prostituição não é crime no Brasil. Mas a exploração sexual é. Os clientes também se tornaram testemunhas e foram levados para depoimento, ainda que contra a vontade.

O trabalho policial nos transforma. Sem perceber, desenvolvemos uma astúcia refinada. Um dos clientes do prostíbulo, provavelmente casado, não pretendia falar a verdade. Durante a elaboração do flagrante, alegou que nem imaginava se tratar de uma casa de prostituição, provavelmente temeroso por ser casado. Olhei-o tranquilamente e disse:

— O importante é dizer a verdade, fique tranquilo.

Enquanto ele me encarava, olhei para o lado e fixei o olhar no canto onde as prostitutas aguardavam, a uns cinco metros de distância. Depois virei para o escrivão e disse:

— Ligue para a esposa dele, ela acompanhará o depoimento. Se lá no local, com as moças peladas, ele não percebeu que era um prostíbulo, a esposa dele não vai perceber aqui na delegacia. Elas já estão até vestidas.

O fulano ficou pálido e, com a voz trêmula, implorou:

— Pelo amor de Deus, eu falo a verdade, eu falo a verdade! — Choroso, admitiu: — Era um puteiro, eu sabia.

Foi uma noite longa, horas para acabar o auto de prisão em flagrante e os demais intermináveis documentos. Ao final, pelo menos, sensação de dever cumprido, minha honestidade tinha prevalecido.

Um trabalho grande, desgastante, mas admito que gostei do fato de o delegado titular ter me escolhido para aquele inquérito policial. Embora parecesse um mafioso, deveria ser honesto também.

Durante a diligência da casa de prostituição, minha nova equipe foi muito atenciosa. O Rubens e o Juvêncio ficaram nos plantões que sobraram, os noturnos. Inserido no novo plano, recebi policiais que até então eram da chefia.

Eu até que gostava dos investigadores da minha nova equipe, embora não confiasse neles. Conversávamos muito. Um deles era mais quieto, o outro havia sido policial militar na década de 1980, possuía muitas histórias. Eles respeitavam a minha escolha, de ser honesto, e diziam às vezes: "Dançamos conforme a música, doutor". Uma certa harmonia se instalou. Eu utilizava como arma a minha franqueza, falava abertamente que eu não faria qualquer tipo de acerto. "Nasci com esse defeito maldito da honestidade", brincava.

Vando, ex-policial da Rota, era um ótimo investigador. Ele me contava abertamente as suas histórias, e com relação à polícia se dizia descrente:

— Doutor, a polícia é assim, não vai mudar. Estude a saia dela.

Eu me ofendia um pouco, até o investigador me mandando estudar? "Ora, eu sou um bom delegado de polícia", pensava. Mas confesso que comprava livros e estudava bastante nas poucas horas vagas. A intensidade dos meus estudos era diretamente proporcional aos percalços da polícia.

Tenho certeza de que a minha vida estaria mais segura ao lado do investigador Vando em uma ocorrência. Policial experiente, independentemente de ter confessado ter participado de inúmeros acertos durante a carreira. Eu não tinha escolha, apoiava-me na promessa de que eles "dançavam conforme a música". Ao questioná-lo sobre as histórias antigas dele, certa vez me confessou:

— Os Racionais estão certos, doutor — disse ele, referindo-se ao grupo de rap. — Na época boa, matávamos ladrão igual papel. Não tinha essa de Constituição Federal, de direitos humanos — lamentou.

Se naquele momento havia abusos por parte do Estado, imaginei os absurdos que aconteciam naquela época.

— Vando, me conte, qual história mais te marcou? Me conte uma com a qual até você ficou chocado.

— Ah, doutor, são muitas. — Ficou pensativo. Acabou se lembrando de uma: — Sabe, aprendi na polícia antiga que o ser humano nunca quer morrer. Nas madrugadas frias daquela época, encontrávamos bandidos perigosos, muitos haviam matado algum policial. Levávamos esses bandidos para um beco, algum fim de mundo. Eles sabiam que iam morrer e até o último minuto tentavam sobreviver, imploravam pela vida, ofereciam dinheiro, tudo.

— Que horror, Vando — interrompi.

— Naquela época ladrão "não se crescia", temia a polícia, doutor. Mas teve uma madrugada que nunca mais esqueci. Pegamos um bandido bom — ou seja, perigoso — que havia matado um colega nosso, além de outros policiais. Roubava bancos e não poupava ninguém. Ele ficou quieto durante todo o percurso, indo para o fim do mundo. Ao chegar no beco, distante de tudo, prestes a morrer, abri o corró da viatura. Corró é o apelido dado ao compartimento onde se transportam os presos. Ele me olhava atentamente. Não implorou por sua vida, não tentou negociar, nunca mais esqueci.

— Ele sabia que ia morrer? — perguntei.

— Sabia. Eu perguntei a ele se tinha alguma coisa a dizer. Olhando fixamente nos meus olhos, doutor, ele respondeu friamente: "Nos encontraremos no inferno".

— E depois?

— Matamos o mala, doutor. Às vezes lembro desse dia, talvez esteja me esperando lá.

Fiquei chocado com essa história. Lembro-me dela às vezes, e olha que eu tinha somente dois ou três anos de carreira. Eu não era mais tão ingênuo, tinha ouvido e vivido muita coisa.

De qualquer maneira, e apesar de tudo, me sentia seguro ao lado do Vando dentro da viatura.

Depois de um tempo, trocaram o meu escrivão. Vando me avisou que o novo membro da equipe vinha de ripa, do Tatuapé, delegacia nobre. Fiquei tenso, mas não tinha escolha. Mantive a minha filosofia, ser franco, jogar limpo. No dia que o escrivão novo chegou à equipe, vindo do 30º DP, cheguei por volta das 10 horas à delegacia. Ele já estava instalado em nossa sala. Na porta estava a Catarina, sentada. Ela parecia dizer com o seu olhar: "Se prepara".

Entrei na sala e ela estava diferente. Pequenos detalhes. Peças de escritório haviam sido colocadas à mesa do escrivão, ao lado da minha. Parecia o escritório de uma empresa. Na mesa dele, um pequeno pote de cristal, com balinhas sortidas. Embaixo de sua mesa, um lindo tapete. Ao entrar, meu olhar naturalmente foi puxado para um porta-retratos, estrategicamente colocado no meio de enfeites de cristal. A foto era de uma criança de no máximo 2 anos sentada em frente a um Audi A4 preto.

— Você é o Jonas, novo escrivão? — perguntei.

— Sou eu, doutor, muito prazer — estendeu a mão.

Fui indelicado, não estendi a mão, estava nervoso naquele lugar, um novo e pomposo escritório.

— Precisamos conversar, vamos tomar um café — chamei.

Ele se levantou, arrumou as calças enquanto segurava um cigarro à boca, apagado. Ligeiramente acima do peso, baixo, ostentava um anel de formatura com pedra vermelha.

Fomos até a padaria mais próxima do 86º DP. Embora perto da delegacia, quase um quilômetro, precisávamos utilizar a viatura. Vando dirigindo, eu ao seu lado e Jonas no banco de trás com a cabeça virada para a janela. Todos quietos no curto trajeto. Vando, esperto, disse que não estava com fome e permaneceu na viatura. Entrei com Jonas e nos sentamos à mesa do balcão. Sob tensão, pedi dois cafés e comecei:

— Jonas, devem ter te adiantado que não faço qualquer tipo de acerto. O que posso fazer é te pedir desculpas por ser honesto e permitir que você encontre outra equipe. Comigo não vai dar, você sabe...

— Eu danço conforme a música, doutor — interrompeu.

— Estou falando sério, apenas sendo sincero.

— Me adiantaram a sua filosofia de trabalho, doutor. Estou sabendo que o senhor é sujo. Serei sincero também. Eu estava no

30º DP, escrivão da chefia, e tocava um inquérito de um hipermercado famoso na região. Eu sabia que a indenização civil seria milionária e fui logo avisando ao advogado do estabelecimento: "Não sou escrivão de carrinho, não".

— Como assim, "escrivão de carrinho"? — perguntei, curioso.

— É muito comum o hipermercado oferecer um carrinho de compras para ser ajudado no inquérito. Comigo não é assim, o anel teria de conversar — explicou o escrivão. "Anel" era a designação comumente utilizada para se referir aos advogados criminalistas, que "sabiam conversar", ou seja, faziam a intermediação para o acerto entre o investigado e a polícia.

— Então, Jonas...

— Só para concluir — ele me interrompeu. — Eu recebia dois mil reais por mês de tramitação. A cada mês de inquérito não finalizado eu recebia dois mil reais.

— Como assim, pra quê?

— Pra nada, doutor, apenas para enrolar. O anel queria a prescrição, é claro. Eu mandava precatória para o Acre, ofício à Nasa. — Sorriu. — Cada mês inventava uma diligência, o inquérito não saía do lugar. Mas o delegado titular descobriu a chuveirada e tomei ripa.

No mundo da corrupção, o instituto da "chuveirada" é amplamente utilizado. A pessoa que recebe a propina deve dividi-la com os que participaram do evento, porque "quem não vai à festa não pode querer comer um pedaço do bolo", conforme esclareceu Jonas. Mas quem recebe o dinheiro ilegal nem sempre repassa a "parte devida" aos demais. Essa é a chuveirada, e isso não pode acontecer, principalmente com os superiores. É imperdoável. Jonas contou que tinha chuveirado o delegado titular do 30º DP, por isso foi ripado.

— Não é à toa que me colocaram em sua equipe, doutor. Foi para me sacanear, para me punir. Agora como vou pagar as minhas contas? Preciso trabalhar — completou nervoso. E finalizou: — mas fica sossegado, doutor, eu danço conforme a música.

Virei instrumento de punição. Descobri, enfim, que ele estava de castigo em minha equipe. Pretendia sair assim que possível, para "voltar a trabalhar, pagar as contas". De certa forma, passei a entender um pouco mais a complicada mecânica dos fluídos da polícia.

Os corruptos naturalmente se aproximam, trabalham juntos, o mesmo acontece com as pessoas honestas. Um processo natural que beneficia todo mundo, formando núcleos com uma filosofia ou com a outra. Isso é bom.

Mas aprendi mais.

Eu fiscalizava meu novo escrivão de perto, acompanhava as oitivas, presidia efetivamente os inquéritos. Tentava impedir, ou pelo menos diminuir, condutas ilegais dele, isto é, as correrias, os acertos de propina em troca de ajuda nos nossos inquéritos. Minha conduta passou a irritá-lo. Nós dois sabíamos que ele tentava ir embora da delegacia, no mínimo para outra equipe que aceitasse sua "filosofia". Arrumar um lugar bom, na concepção dele, não era tarefa fácil.

Certo dia, logo pela manhã, lá ia eu ao bairro da Vila Formosa. O dia estava bonito, sol sem nuvens. Um dia qualquer. Cheguei à delegacia, fui recebido carinhosamente pela Catarina, como de costume. Entrei em nossa sala e flagrei Jonas conversando com um advogado. Embora eles estivessem apenas conversando, seus trejeitos entregavam que alguma coisa acontecia ali. O corpo fala, e o deles confessava. Acho que foi a surpresa. Fiquei imediatamente nervoso, cumprimentei o advogado educadamente e perguntei:

— Do que se trata, Jonas?

— Nada. — Jonas apontou para o advogado. — Ele está apenas analisando este ofício. — E me entregou o documento com o timbre do Ministério Público. O advogado permaneceu quieto.

Tratava-se de um ofício requisitório para indiciamento formal. Explico. Um inquérito policial havia sido encerrado e encaminhado ao Foro. O promotor de justiça do caso entendeu, diversamente da minha convicção, que era o caso de indiciamento do investigado. O indiciamento formal é o ato pelo qual o delegado de polícia afirma juridicamente que o investigado é o culpado pelo crime. Eu não o havia feito. Pois bem, divergências jurídicas à parte, verdade é que aquele ofício era para simples cumprimento, não havia qualquer margem para dúvida ou para outro procedimento senão o que constava no ofício: indiciamento do investigado.

Fiquei confuso. Eu tinha certeza de que algo acontecia na sala. Mas fazer o que diante de um ofício para indiciamento? Que vantagem Jonas poderia pedir ao advogado, ou ele poderia oferecer ao escrivão? Eu não enxergava essa possibilidade. Por precaução, registrei:

— Doutor — fitei o advogado —, o senhor viu que é uma requisição do promotor de justiça para indiciar o seu cliente? — Aproximei dele o ofício que estava em minhas mãos. Continuei frisando: — O inquérito já acabou, não há o que fazer, certo? O senhor tem alguma dúvida? É indiciar o cliente e devolver ao Fórum.

— Claro, doutor — respondeu o advogado gentilmente, mas ligeiramente nervoso. — Vou trazê-lo aqui para cumprir o ofício. Apenas vim avisar que ele está viajando, só chega semana que vem.

A intimação era para o dia seguinte, mas realmente não havia o que fazer e uma semana não alteraria em nada.

— Tudo bem, traga-o semana que vem, então — finalizei.

Saí da sala sem entender. Catarina acompanhou tudo, permaneceu deitada na minha cadeira, sem entender também.

Uma semana se passou, o indivíduo foi devidamente indiciado e o ofício com as peças requisitadas devolvidas ao Fórum. Simples assim. Natural o meu sentimento de que eu havia imaginado coisas, nada tinha acontecido. Não tocamos mais no assunto, pensei até em pedir desculpas a Jonas, eu tinha sido levemente rude naquela ocasião. "Não poderia mesmo", pensei, "existir acerto em um simples ofício para indiciamento relativo a inquérito policial finalizado".

No dia posterior ao indiciamento, um lindo dia, desses com passarinhos cantando e a Catarina desfilando pelo prédio, assim que cheguei à delegacia e entrei em nossa sala, deparei-me com o escrivão Jonas, de pé, olhando como se me esperasse. Ele segurava seu cigarro apagado entre os lábios, seu costume, enquanto mantinha as mãos nos bolsos de sua calça jeans.

— Bom dia — cumprimentei de maneira leve e simpática.

— Doutor, aquele advogado que deixou, nada de ilegal! — disse. — Apenas como agradecimento, um café.

Interessante como na polícia desenvolvemos a habilidade de pensar rápido. Na verdade, muito rápido. Um fato que precisaria de pelo menos dez minutos para ser analisado, aprendemos a decidi-lo em apenas um, provavelmente até menos. O ser humano é incrível, o estado de necessidade nos faz desenvolver destrezas que nem imaginaríamos serem possíveis.

Jonas retirou a sua mão esquerda do bolso, levantou o braço e percebi que segurava uma porção de dinheiro, um maço fininho, certamente mais de uma nota de cinquenta reais.

— Quanto tem aí, Jonas? — minha expressão mudou radicalmente, ele percebeu. A mistura de nervosismo e raiva eram aparentes.

— Doutor, nada de ilegal, é que...

— Quanto tem aí, Jonas? — interrompi peremptoriamente.

— Quinhentos reais — respondeu ele de forma trêmula.

Não que eu quisesse, mas fui obrigado a tomar uma importante decisão em cinco ou, no máximo, dez segundos. Isso mesmo, dez segundos. A minha vontade era prendê-lo em flagrante, e admito que quase o fiz. Mas hoje agradeço não ter feito.

Primeiro, claro que Jonas negaria toda a história e provavelmente diria que eu tinha inventado aquilo. O flagrante não seria ratificado pela corregedoria. Depois, eu não teria como provar aquele ato de corrupção. Alguém acha que o advogado conluiado com Jonas testemunharia? Claro que não. No final, era provável a inversão da culpa, e eu receberia um processo por calúnia.

É mais complicado do que parece.

— Me acompanhe, Jonas. — Saí andando em direção à sala da chefe dos escrivães.

— Mas, doutor, posso explicar, é que...

— Jonas, venha comigo ou te prendo agora — interrompi novamente.

Ele não teve escolha. Sem saber o que aconteceria, me acompanhou até a última sala do primeiro andar. Hoje percebo o quanto fiquei revoltado e nervoso, e que para Jonas foi pior ainda, seguindo-me pelos corredores da delegacia com quinhentos reais nas mãos, sem saber o que eu faria.

Entrei na sala da escrivã-chefe, que estava grávida e com um barrigão, e disse:

— Jonas, dê esse dinheiro à Regina, agora!

Sem pestanejar ele estendeu a mão. Regina me conhecia, ficou assustada, pois sabia que eu não fazia qualquer tipo de acerto. Ela deve ter se sentido em uma cena esdrúxula, eu mandando o escrivão dar aquele dinheiro a ela.

— Regina — continuei — esse dinheiro, segundo ele — apontei para Jonas — é um "café" dado por um advogado. São quinhentos reais. Compre alguma coisa para essa linda criança que vai nascer.

A escrivã chefe pegou o dinheiro e guardou, Jonas permaneceu quieto.

— Vou avisar o delegado titular que o Jonas, a partir de hoje, não está mais na minha equipe — disse, olhando para os dois. E antes de sair da sala finalizei: — Nunca vi um café tão caro em toda a minha vida, deve ser do famoso cocô de gato.

Quando me lembro desse dia fico orgulhoso. Tomar decisões importantes em segundos não é garantia de um bom resultado. Por ironia, talvez eu devesse agradecer ao próprio Jonas, foi ele quem me ensinou as nuances da chuveirada. Isso porque, antes de toda essa confusão, ele próprio tinha me revelado, numa conversa amena, o que considerava o maior problema dos acertos. O recebedor do dinheiro sempre tirava uma parte antes de passar o restante à frente, e a divisão nunca era igualitária. Naquele dia ele me contou:

— Doutor, se pedimos dez mil reais ao anel correria, pode ter certeza de que ele diz ao cliente que pedimos quinze mil, ou seja, logo no começo ele fica com cinco, enganando o cliente.

Ou seja, a chuveirada começava antes de o dinheiro entrar na polícia.

— E depois — continuou Jonas —, o policial pega os dez mil e diz para os demais que recebeu apenas oito, desviando mais dois. Assim, se quatro pessoas participaram do acerto, cada uma recebe dois mil, mas o primeiro ficou com quatro. É sempre assim, a chuveirada é cruel.

Todos da delegacia me conheciam, sabiam que eu era "sujo". Isto é, não entrava em esquemas. Por isso, naquele dia fatídico, resolvi criar uma testemunha, a Regina. Se eu apenas recusasse aquele café valioso, certamente o Jonas ficaria com o dinheiro, dizendo aos demais que eu também o aceitei. Além de mentir pelas minhas costas que tinha me dado a quantia, ele ainda daria uma chuveirada nos investigadores.

É, a polícia não é fácil. Mas eu estava prestes a aprender mais um pouquinho.

Jonas foi transferido para outra delegacia. Não acho que tenha sido uma ripa, pois ele mesmo manifestava a sua vontade de, nos termos dele, "voltar a trabalhar normalmente". Não pareceu chateado comigo. Talvez a interminável caminhada até a sala da Regina tenha até lhe feito bem. Ele percebeu, por um momento, que poderia ir para a cadeia.

Antes de ir embora, Jonas fez questão de se despedir, me convidou para um último café.

— Não é daquele caríssimo, é? — brinquei.

— Não, doutor — respondeu, envergonhado.

Durante a nossa despedida, naquela mesma padaria em que tivemos nossa primeira conversa, ele desabafou:

— Sabe, doutor, obrigado por tudo. Admiro pessoas com essa conduta, com essa honestidade.

— Deveria ser obrigação, não é, Jonas? — sorri, a conversa estava leve.

— Vou te confessar uma, doutor, já trabalhei com dois delegados que têm esse mesmo discurso, do "sou honesto, incorruptível", mas quando a gente chegava com o dinheiro eles sempre aceitavam.

— O café? — brinquei de novo.

— Isso mesmo — sorriu ele — o cafezinho.

Estávamos sentados nos mesmos assentos que tínhamos ocupado da outra vez, de frente para o balcão. O funcionário, parado à nossa frente lavando inúmeros copos pequenos, prestava atenção na conversa.

Aproveitei a oportunidade. Sempre me interessei por esse assunto, a corrupção.

— Jonas, apenas se você quiser, me conte uma coisa, pois fiquei curioso. Por que o advogado deu aquele dinheiro? Não vejo como ganhar dinheiro em um ofício do promotor de justiça, um inquérito finalizado.

— Fumacinha, doutor. Joguei uma conversa nele, o investigado não estava viajando, não. Ele veio saber do que se tratava a intimação e eu disse que poderia ajudá-lo, protelar até a próxima semana o indiciamento.

— E mudaria o quê, Jonas?

— Sei lá, por isso chamamos de vender fumaça. Na verdade, ele estava comprando nada. Bem — ponderou —, ele poderia estudar melhor o caso e até entrar com *Habeas corpus* para impedir o indiciamento — finalizou, sorrindo.

— Se o meu café era quinhentos reais, imagino quanto o advogado deu...

— Cinco mil, doutor, o senhor ia tomar uma chuveiradinha, sim — confessou, um pouco envergonhado.

Nós nos levantamos e eu paguei a conta. Na porta da padaria, um aperto de mãos sincero. Jonas havia me conquistado pela conversa franca. Eu estava com o meu carro e fui me afastando, mas vi que, antes de entrar em seu carro, ele me olhou por alguns segundos. Percebi que ele decidia alguma coisa, utilizava aqueles segundos que aprendemos a usar. Com a porta aberta, fez menção de se sentar, mas voltou em minha direção.

— Doutor, só mais uma coisa.

— Claro, Jonas.

— Às vezes, na polícia, o preto na verdade é branco, o branco é azul.

— Fala logo, Jonas, do que você está falando?

— Sabe o delegado titular, o doutor Natan? O apelido dele na polícia é "Ratanatan", pois é uma ratazana sem tamanho, um bandido, só pensa em dinheiro.

Recordei as vezes em que o delegado titular parou em minha sala para conversar, tinha um discurso firme contra a corrupção, sempre me mandava tomar cuidado com os escrivães e principalmente com os tiras. Dizia-se vítima deles.

Jonas falava de forma pausada, parecia se preparar para revelar algo. Fiquei esperando com atenção, e ele enfim desabafou:

— O inquérito de estelionato que o delegado titular lhe entregou, aquele em que o senhor prendeu o gerente do prostíbulo...

— Lembro bem, o que tem? — A desconfiança me invadia rapidamente. O que poderia ter acontecido naquele caso?

— Então, foi de propósito, ele te passou o inquérito porque te conhece — disse Jonas rapidamente, como se regurgitasse as palavras. — Ele sabia que o senhor fecharia o prostíbulo. Assim, não só aquele, mas todos os demais prostíbulos passaram a pagar uma recolha maior. O senhor valorizou a pule!

Eu não sabia o que dizer. Jonas percebeu que eu estava surpreso. Despedi-me dele, com olhar pensativo após a revelação. Ele foi embora e nunca mais o vi. Sua última frase foi: "Estuda e vai embora, doutor, isso aqui não tem jeito não".

Espera, eu precisava digerir aquela informação. Voltei à padaria, ao mesmo lugar do balcão, e pedi mais um café, amargo. Sozinho, repetia o ocorrido em minha mente. É isso mesmo, fui usado? Esse mundo paralelo da polícia é muito intenso, é muito aprendizado, é muita informação.

A recolha, a famosa recolha.

Não é à toa que fiquei emocionado, anos depois, assistindo no cinema ao filme *Tropa de Elite*. Explicaram com maestria o sistema da recolha, que consiste em um pagamento periódico à polícia — pelo que sei, mensal. Casas de jogos ilegais, bingos, máquinas caça-níqueis, casas de prostituição e até casas de aborto pagam mensalidade à polícia para manterem seus negócios escusos sem incômodo.

Sozinho naquela cadeira e me embriagando com a amargura do café e da polícia, sem perceber o mundo à minha volta, acabei falando alto, olhando de perto o balcão metálico.

— Contribuí efetivamente para a corrupção...

— Como?

Um leve susto. Olhei para cima, alguém tinha falado comigo. Voltando ao estado normal, vi que conhecia aquele homem ao meu lado.

— Não se lembra de mim? Pegamos o mesmo táxi para a Academia.

— Oi, tudo bom? Lembro, sim.

Enfim o reconheci, era realmente aquele homem que tinha dividido o táxi comigo. Ele estava de jaqueta de couro, elegante, não havia mudado a sua fisionomia depois de três ou quatro anos.

— Eu estava tomando café aqui. Confesso que escutei a sua conversa com aquele escrivão. Mas fica sossegado, não ouvi muita coisa, não.

— Coisas de polícia, a gente se acostuma — completei.

— Preciso ir — disse o homem, levantando-se. — Às vezes tomo café nesta padaria. Numa próxima vez, trocamos uma ideia. Convivo com assuntos policiais. — Estendeu-me a mão. — Boa sorte, doutor Rodrigo.

— Obrigado. Conversaremos, sim. — Estendi a mão. Diz a lenda que depois de dois encontros fortuitos, o terceiro é inevitável.

Ele foi embora antes que engajássemos numa conversa de verdade, e eu sequer sabia a sua profissão. De qualquer maneira, eu ainda digeria o que Jonas tinha me dito. Foi inusitado aprender que, às vezes, mesmo com a melhor intenção, contribuía direta e efetivamente com a corrupção.

A cada dia o clima pesado se intensificava. Tudo foi piorando. Embora a maioria dos delegados do 86º DP fosse honesta — o meu colega Marcos, por exemplo —, a chegada de um novo delegado agravaria a tensão entre nós e o sistema. Naquela época trabalhávamos no sistema novo, de segunda a sexta-feira. Todos na chefia, cada um com a sua equipe.

O novo plano de trabalho funcionou em certa harmonia enquanto o doutor "Ratanatan", titular, permaneceu sozinho administrando a delegacia e a corrupção. O delegado titular era quem distribuía os inquéritos policiais: o Marcos, a Márcia e eu presidíamos os procedimentos normais, aqueles com pouca chance de se ganhar um dinheiro, de se fazer um acerto. Já o titular mantinha a recolha e instaurava os "melhores casos" para a sua equipe, ou seja, os com grandes chances de gerar propina.

Mas, com a chegada do delegado Toni, essa engenharia passou a não funcionar como o esperado.

Logo de início, percebi que o "Ratanatan" não gostou do novo delegado, eu não sabia bem por quê, mas era visível que eles se odiavam. Após a sua apresentação, o delegado titular marcou uma reunião. Entre outros assuntos, disse o titular, decidiria sobre a nova viatura, um lindo Blazer zero quilômetro.

O problema é que, além do titular, nós éramos quatro delegados, e só havia três viaturas utilizáveis: essa novíssima, outra seminova e uma mais velha, em péssimo estado. Existia uma quarta viatura, na verdade um Opala velho e sem as rodas, abandonado em cima de cavaletes no pátio da delegacia.

— Marquei essa reunião para dizer que cada delegado receberá uma viatura e cuidará dela — disse o "Ratanatan".

Na sala do delegado titular, sentados à mesa, estavam eu, Marcos, Márcia e o novo delegado, Toni. No começo da reunião, Natan pegou Márcia pelo braço e a colocou na cadeira ao seu lado. Apontou a outra, do lado oposto, para mim. Visível que ele queria o Toni o mais longe possível dele.

Toni não se abalou, vestia um terno caríssimo, sapato negro brilhoso e anéis de ouro, um deles com a imensa pedra vermelha, brega, para mostrar os seus estudos. Sentou-se na cadeira mais distante, mantendo sua suntuosa arrogância.

— Doutor — me antecipei —, como estou há mais tempo na delegacia, quero escolher a viatura primeiro.

— Isso é um absurdo — disse rapidamente o delegado Toni. — Sou mais antigo na carreira, acho que realmente...

— Eu vou escolher — interrompeu o titular.

— Bom — continuei calmamente —, apenas registro que a minha escolha é o Opala velho.

Todos me olharam.

Apontei para a janela, que dava vista para o cemitério de veículos. O delegado Toni não entendeu por que eu escolhia uma viatura sem rodas, abandonada em cavaletes. Ele ainda não me conhecia.

Mas Natan sabia que eu faria isso. Com a viatura quebrada, meus investigadores sequer sairiam do prédio, melhor para mim. Tudo o que eu queria era sossego, cumprir o mínimo necessário e continuar meus estudos. Depois da revelação de que tinha sido usado, ajudado a aumentar o valor da recolha, intensifiquei o projeto de mudar de carreira.

Mas rapidamente a verdade sobre o Toni veio à tona. Logo percebemos que o titular não gostava dele porque era exageradamente corrupto, muito correria, como se diz na polícia.

— A viatura nova ficará com você, Rodrigo. Essa é a minha decisão — disse o titular.

Toni me olhou com raiva. Mais uma vez eu era usado, agora para provocá-lo. Não sei bem qual era a intenção do delegado titular, inclusive porque deu ao Toni a segunda melhor viatura. Entregar-me a viatura nova deve ter sido apenas um ato de marcação de território, não sei ao certo.

Quando usamos uma viatura, é registrado pelo rádio, em nosso nome, o denominado "talão" junto à central de comunicações, Cepol. Por isso eu não emprestava a viatura para o Toni, ainda que não a usasse todos os dias. Ele me odiava por isso, e a tensão aumentava.

Mas a distribuição e o uso das viaturas não foi o pior. Trabalhávamos todos no mesmo prédio, no mesmo horário, e Toni chegava sem pudor com a sua equipe e muitas pessoas "detidas para averiguação". Diariamente ele provocava uma movimentação suspeita, advogados entrando e saindo. Assistíamos àquele trabalho perigosamente próximos.

— Que situação! — disse-me uma vez o Marcos. — A gente aqui, todo mundo junto, e essa movimentação que não para — confessou, preocupado.

Marcos tinha razão. Enquanto fazíamos o nosso trabalho com cuidado para não nos prejudicar, inquéritos presididos na estrita legalidade, Toni e sua equipe faziam acertos sem parar, como se fossem uma empresa. A tensão aumentava. A preocupação não era exagerada: como provar que não participávamos dos achaques?

Olhávamos para a porta da delegacia nos momentos em que a movimentação se intensificava. Imaginávamos a corregedoria invadindo o prédio e nós no mesmo ambiente que aquele bandido travestido de delegado.

O estresse mora nas delegacias de São Paulo. Sentindo o cheiro podre da corrupção bem perto, eu não dormia mais como antes. Sonhava que estava sendo preso, mesmo sem ter feito nada. Em uma quarta-feira, eu estava na parte da frente da delegacia, onde fica o plantão, quando o telefone tocou:

— Tem boi na linha! — disse-me uma voz grave. Sem esperar resposta, desligou o telefone.

Desliguei de forma ríspida, confesso que bati o bocal do telefone. Além de tudo, ainda tinha de receber trote? Nesse mesmo instante, passou o delegado Toni, que percebeu minha reação e perguntou:

— O que foi?

— Nada, algum engraçadinho passando trote, disse que tem boi na linha.

Toni se transformou, ficou nervoso e saiu em passo acelerado, quase correndo. Em poucos minutos, vários investigadores desapareceram da delegacia, inclusive o Toni.

Meu investigador, o Vando, se aproximou nervoso:

— Doutor, o que aconteceu? — Passou a mão na barba rala e malfeita. — Vi um investigador do doutor Toni pular pela janela, para a parte de trás da delegacia!

Como em um passe de mágica, a corriqueira movimentação se desfez, a delegacia parecia deserta. Observei todo o ambiente, percebi rapidamente que algo havia acontecido. Ao meu lado, Marcos com cara de assustado. Parecíamos os dois bobos que não perceberam a brincadeira.

Depois, descobrimos o significado da gíria "boi na linha", e que ela era utilizada para o caso de a corregedoria chegar. Estava acontecendo um grande acerto naquele momento. Todos fugiram, menos a minha equipe e a do Marcos. Mais tarde confirmou-se ter sido alarme falso. O doutor Natan tinha um amigo na corregedoria, que contou informalmente não ter diligência da corregedoria programada para a nossa delegacia.

Olhei para o Marcos e desabafei:

— Eu nunca me imaginei nessa cena, Marcos. Agora estou tranquilo, não era a corregedoria, foi alarme falso.

— Eu também não — concordou ele, ainda assustado. — Que situação.

Não é fácil explicar que nariz de porco não é tomada. Embora não participássemos dos acertos, vivíamos a mesma tensão que os corruptos, o medo, afinal estávamos lá todos os dias, no mesmo prédio. O Toni ser muito correria, sangue nos olhos, ficou evidente. Irritava-me o fato de ele, além de corrupto, ser arrogante. Vestia apenas ternos caros, relógios de ouro cujas marcas eu nem conhecia. Olhava-nos por cima, a petulância em pessoa. Tratava-nos como se fosse superior hierárquico.

A movimentação de advogados se acentuou novamente. Primeiro chegavam os investigadores com pessoas algemadas, depois o advogado. Era comum ver o Toni saindo do prédio abraçado com o advogado, cheio de amizade. Marcos e eu apenas observávamos, braços cruzados e sentimento de impotência.

Certo dia, a tensão extrapolou o esperado. No meio da tarde testemunhamos os investigadores do Toni gritando com ele em pleno corredor, pareciam estar prestes a agredi-lo. As quatro salas ficavam lado a lado no térreo, com divisórias finas e, por isso, sem qualquer privacidade. A conversa entre ele e seus dois investigadores foi frase a frase se transformando em briga.

Marcos veio à minha sala e se sentou. Ficamos esperando, e o tom de voz aumentava.

— O delegado sou eu! Eu que mando! — disse Toni, saindo da sala em direção à rua.

Nosso campo visual permitiu assistir a apenas um investigador sair atrás do delegado e, entre as ofensas proferidas, uma me marcou. Com o dedo em riste, próximo ao nariz de Toni, o investigador demonstrou toda a sua revolta:

— No crime não tem hierarquia, doutor!

Toni desconversou e saiu. Enquanto se afastava, os policiais conversavam entre si, em tom alto, proposital, para que ele ouvisse:

— Estou de saco cheio do "Furtoni" — disse o primeiro, combinando o nome do delegado ao crime de furto. — Não aguento mais as chuveiradas. Precisamos fazer alguma coisa!

— O "Furtoni" terá de dividir o bolo, no crime não tem hierarquia!

Todos reclamavam, diziam que ele era o mestre da chuveirada, não tinha escrúpulos. Muitas vezes ficava com todo o dinheiro da propina.

O aumento diário da tensão, do número de acertos e de advogados pelos corredores em conversas escusas com o doutor "Furtoni" me fez pedir para voltar aos plantões noturnos.

Apesar de todos trabalharem durante o dia, foi necessário manter algumas equipes durante a noite. O trabalho diurno parecia vantajoso no início. Primeiro, para preservar a saúde — quinze madrugadas mensais trabalhando em plantões de doze horas não fazem bem a ninguém. Segundo, porque, pelo novo sistema os poucos delegados da noite eram responsáveis por três delegacias ao mesmo tempo.

Com o tempo percebi que trabalhar todos os dias era vivenciar de perto a corrupção da chefia. Nesse caso, melhor o cansaço dos plantões noturnos e diurnos de finais de semana.

CAPÍTULO 7

86º DP - Última fase:
"A fuga que prejudica todos... menos os culpados"

Cadeia pública, segundo a Lei de Execução Penal, é o local destinado aos presos provisórios. Minha carreira como delegado foi concomitante à correta política de governo no sentido de acabar com as cadeias em delegacias. Antes, todas as delegacias de São Paulo possuíam cadeias lotadas, com o dobro, o triplo ou até mais presos por cela que o permitido, sem nenhuma condição para tal.

Digo concomitante porque as unidades carcerárias foram desativadas paulatinamente, uma delegacia de cada vez. Foi um processo lento. Por isso atribuo ao azar o fato de eu ter trabalhado em delegacias com cadeias. Outros colegas tiveram a sorte de já trabalhar em distritos depois da desativação.

A rotina das cadeias é puxada.

Meu primeiro contato efetivo com essa rotina ocorreu em um dia de visita. Uma vez por semana, os parentes cadastrados visitam os presos. Ao chegar ao plantão do 86º DP, uma fila indiana enorme estava formada. Eram cento e cinquenta presos, um familiar para cada detento.

— Hoje é dia — murmurou o carcereiro de plantão, passando pelo plantão em direção à carceragem, com uma faca de cozinha nas mãos.

Fui atrás dele. Na entrada da carceragem, uma porta lateral estava aberta, o início da fila de familiares que alcançava a esquina da rua. O carcereiro percebeu a minha curiosidade, pegou uma sacola plástica do chão dentre as incontáveis que se acumulavam, sorriu e disse:

— Se não revistar direito o jumbo, entra serra ou broca.

Enquanto ele furava várias vezes os produtos trazidos nas sacolas — bolos e outros alimentos feitos pelas visitas — atrás de serras, droga ou outros ilícitos, continuou a explicação:

— Cadeia não é fácil, doutor, sabe como é, entupiu o boi é sinal de tatu, ou de Teresa.

— Não entendi nada — confessei.

— O boi é o vaso sanitário, doutor. Eles cavam um buraco — entendi o significado da expressão "tatu" — para fugir por baixo e colocam a terra na privada, dão a descarga, mas é muita terra e sempre entope.

— E a Teresa?

— A vida dos presos é pensar em fuga, se não é por baixo, é por cima. Teresa é o nome dado à corda feita de roupas, para escalar o muro. — Sorriu com ar de entendido. — Dizem que um preso teve essa ideia ao analisar as tranças de sua própria mulher, a Teresa.

— Interessante. Esses sacos plásticos são os jumbos?

— Isso mesmo — confirmou o carcereiro enquanto pegava mais um dos cento e cinquenta a serem revistados.

Nesse momento, a porta da sala do carcereiro se abriu, ficava na entrada da carceragem, logo ao lado da grade principal. Uma mulher saiu, acabava de ser revistada por uma investigadora, que vestia luvas cirúrgicas. A policial portava um pequeno espelho nas mãos e percebeu o meu estranhamento.

— Não aguento mais, quando desativarão essa droga de cadeia? — perguntou para ninguém. — Isso é trabalho de investigação? — E esticou as suas mãos mostrando as luvas e o espelho.

Uma senhora que estava em primeiro lugar da fila entrou na sala, a porta se fechou.

— Está com cara de flagrante, hoje — sorriu o carcereiro.

— Por quê?

— Só um palpite, doutor. As visitas nem percebem, mas ficam cochichando, acabam se entregando.

O carcereiro tinha razão. Experiente, percebia a fala corporal das visitas, o nervosismo. Dito e feito, a investigadora abriu a porta segurando aquela senhora com uma das mãos e um preservativo em forma de bexiga com a outra. Era pouco maior que uma laranja, e em seu interior havia mais de duzentos gramas de maconha.

Durante a revista, as visitas femininas são obrigadas a retirar toda a roupa e se abaixar em cima do pequeno espelho, para que seja possível avistar no interior da vagina algum objeto. Autuei-a, a mãe do preso, por tráfico de droga.

Tão constrangedor quanto eficaz, era forçoso reconhecer que esse tipo de revista impedia quase sempre a entrada de serras, drogas e inúmeros outros objetos. Muito comum, infelizmente, era apreender mulheres com mais de um aparelho celular no interior da vagina.

Assim, uma vez por semana reiterava-se o mesmo procedimento. Um dia inteiro de trabalho que deslocava inúmeros policiais de sua verdadeira atribuição, a investigação.

Encerrada a visita ao final do dia, enquanto alguns policiais ficavam na retaguarda, o carcereiro primeiro fazia a revista nas quatro celas à procura de qualquer objeto ilícito. Comum encontrar pequenas serras, aparelhos celulares, droga. Por fim, o procedimento denominado "bate grades", que consiste literalmente no ato de bater nos "pirulitos" — as barras de metal das celas — a fim de descobrir, pelo som, se algum está serrado. Em suma, a corrida de gato e rato não para, os presos tentando fugir e a polícia tentando evitar a fuga. Pode-se afirmar, sem receio, que as delegacias de polícia não possuem a mínima condição de gerenciar uma cadeia pública.

Essa batalha diária para evitar a fuga possui as suas nuances. Mais de uma vez fui obrigado a trabalhar no plantão sentindo cheiro de maconha, vindo do final do corredor, da carceragem. As vítimas que aguardavam pelo registro de boletim de ocorrência nos condenavam por meio dos seus olhares. Eu entendia, não se espera comparecer à delegacia e sentir um cheiro forte de maconha de dentro do prédio.

Eu já tinha aprendido: o chefe dos investigadores fazia vista grossa para a entrada de droga (maconha) e bebida alcoólica na cadeia, com a anuência, no mínimo tácita, do delegado titular.

— É bom, acalma os presos e não temos problema — me confessou em certa oportunidade um chefe dos investigadores.

O diretor da cadeia é o delegado titular, pois é o responsável administrativo da unidade. Em regra, eu escapava dessa responsabilidade. Entretanto, durante os plantões noturnos e nos fins de semana, diziam que o delegado plantonista se tornava o responsável pela cadeia. "Diziam", mas eu discordava, porque sempre havia um carcereiro para cuidar dos presos. Você chegava ao plantão sem saber o que estava acontecendo, e saía de lá sabendo menos ainda. Claro, se ocorresse qualquer fato novo durante o plantão, sua obrigação era tomar providências, mas você não vivenciava o procedimento diário daquele cárcere.

De qualquer forma, depois da fase tensa e perigosa convivendo com o doutor "Furtoni", consegui integrar uma equipe de plantão da noite. Marcos, meu amigo correto, foi ripado para outra delegacia. Finalmente eu tinha me livrado de trabalhar durante os dias, ao lado de policiais corruptos e de delegados como o "Furtoni" e o "Ratanatan".

A rotina dos plantões noturnos era complicada: de dez a quinze plantões noturnos mensais de doze horas. Além disso, os delegados plantonistas noturnos passaram a responder por três delegacias ao mesmo tempo. Eu era o delegado das delegacias da Vila Formosa (86º DP), do Carrão (94º DP) e do Tatuapé (30º DP). As duas primeiras com cadeias lotadas.

Como trabalhar em três lugares ao mesmo tempo? Eu acreditava — na marra — nos policiais e decidia ocorrências por telefone, à distância. Passava o plantão me deslocando de uma delegacia a outra.

Diante de duas carceragens lotadas, eu vivia preocupado, tentava ser proativo para não me prejudicar. Nem sempre é fácil. Certa vez, por volta das 3 horas da madrugada, João, o carcereiro do 86º DP, me acordou. Eu cochilava no pequeno sofá da minha sala, ao lado da Catarina.

— Doutor, a cadeia está esquisita — me disse ele em tom notificador.

Catarina não se preocupou muito, era antiga na delegacia e conhecia melhor do que ninguém a carceragem. Eu me levantei na hora. Percebi que João, o carcereiro, pretendia se isentar de algum problema que pudesse acontecer, como se o seu aviso genérico constituísse um *Habeas corpus* preventivo. Eu nunca tinha estudado o que seria uma "cadeia esquisita".

— Como assim, João? Não sei o que você quer dizer.

— Esquisita, doutor, estou com medo de virar a cadeia, ou de ter uma fuga — completou. O termo "virar a cadeia" é utilizado para a iminência de uma rebelião.

— Mas o que você tem de concreto? Bom, preciso tomar providências após essa sua comunicação, chame o GOE (Grupo de Operações Especiais) para nos ajudar, vamos entrar e revistar tudo.

João coçou a nuca e franziu os lábios.

— O titular disse que não é para chamar o GOE, doutor. Eles podem bater em algum preso, arrumar confusão, e nesse caso o titular cai por ordem do diretor.

— E o que podemos fazer?

— Vou ficar de olho — disse o carcereiro, e saiu.

Deu para entender? Existia uma ordem implícita para não chamar reforço, a premissa era sempre evitar confusão. Por sua vez, o carcereiro, receoso de um possível problema, tentava empurrá-lo para o delegado de plantão. Um sistema covarde, no meu entender. Outra covardia era a de que, no caso de fuga, o carcereiro de plantão deveria ser incontinenti preso. Por isso vinham "notificar" o delegado de plantão, tentando se salvar. Não interessava se o carcereiro tinha culpa ou não, o costume era prendê-lo, uma resposta pelo ocorrido.

A manhã chegou e não houve fuga, a cadeia não virou, tudo normal.

Dentro desse sistema injusto, covarde e perigoso, todo cuidado é pouco. Mas a covardia era o que mais me incomodava. As ilegalidades que ocorrem na cadeia são notórias. Mas ninguém enfrenta os problemas, seguem os dias. Hoje penso que o único culpado talvez fosse o governo, pois ele permitia a inaceitável existência de cadeias em delegacias.

Em um plantão diurno de domingo, dia de feira na rua ao lado, logo pela manhã vi o carcereiro passando pelo corredor em direção à cadeia, carregando dois enormes sacos plásticos.

— Venha aqui, João. O que é isso? — perguntei ao carcereiro, apontando um dos sacos que ele segurava.

— Nada demais, doutor, apenas pastéis para os presos. — Dois pastéis por preso, oitenta presos. Era muito pastel. — O chefe dos investigadores e o delegado titular sabem e autorizam.

— Então pode entrar — completei rapidamente e de forma enfática.

Mais tarde, em um período de tranquilidade, a equipe esperava o tempo passar em frente a uma televisão ligada. Aproveitei para atacar a covardia:

— Sabe como funciona, João? — perguntei, para iniciar a conversa. Ele me olhou. — Acredito em você, tenho certeza de que o chefe dos investigadores sabe, o delegado titular também. O delicioso pastel de domingo é mais uma arma para acalmar a cadeia, e não sou contra isso.

O escrivão e o investigador passaram a prestar atenção na conversa.

— Desde que não entrem objetos ilegais, qual o problema? Não há nada na lei que proíba o preso de comer pastel.

— Então, doutor, é bom pra gente.

— É, mas se hoje à tarde tiver uma fuga, sabe o que acontece?

A concentração de João aumentou.

— Aí complica — pontuou o carcereiro.

— A corregedoria chega e encontra por volta de cento e sessenta papéis de pastel. Acaba concluindo que algo irregular aconteceu, talvez a entrada de uma serra. O titular chega depois e diz que não sabe de nada, o delegado plantonista se esconde em sua sala, e o carcereiro, você — apontei para ele —, acaba preso em flagrante. Todo mundo faz de conta que não sabe de nada e o carcereiro acaba preso injustamente. Não concordo com isso.

— Isso é verdade, mas eles — o titular e o chefe dos investigadores — me falaram pessoalmente que podia entrar pastel de domingo.

— Quem paga o pastel?

— A família, doutor, dá cinquenta reais para o preso comprar pastel.

— Mas cinquenta reais para dois pastéis sobra um bom troco.

— Também não vou à feira de graça, né, doutor — sorriu sem graça.

Claro, tinha de ter um dinheirinho ilícito no meio. Naquele plantão, os presos se deliciaram com os pastéis. No próximo, diurno, vieram à delegacia o delegado titular e o chefe dos investigadores. Embora fosse final de semana, um sábado, era comum que viessem. Chamei o carcereiro João e, com ele, entrei na sala do titular:

— Boa tarde, doutor Natan. — A vontade era falar "Ratanatan".

— Boa tarde, aconteceu alguma coisa?

— Não, doutor, tudo sob controle. Apenas vim confirmar a informação de que o senhor autorizou a entrada de cento e sessenta pastéis no plantão de domingo. Adianto que não tenho nada contra, mas como o senhor é o diretor da cadeia, eu queria...

— O que é isso? Do que você está falando? — Com os olhos arregalados, me mostrava todo o seu falso espanto, como se nem imaginasse que algum dia entrou um pastel na cadeia. O investigador-chefe, ao lado dele, permanecia quieto, disfarçando. — Não sei de nada disso! Claro que não pode entrar nada, não autorizei nada!

— Está vendo, João? — O carcereiro se mostrava um pouco inconformado. — A partir de hoje é oficial, não entra nada, segundo as ordens do diretor da cadeia. — Apontei o distinto.

João concordou com a cabeça e desceu para o plantão. O delegado titular olhou para o investigador-chefe, que entendeu e saiu da sala imediatamente. Só nós dois no ambiente, ele se abriu:

— Sabe, Rodrigo, não é fácil cuidar de uma cadeia, às vezes fazemos de conta que não sabemos de detalhes, para manter tudo funcionando numa boa — disse ele, confirmando a covardia. — Mas eu não posso autorizar oficialmente.

Eu já sabia, mas nunca concordei com essa covardia. Na hora da fuga, prende-se o carcereiro e pronto. Aliás — e muito importante —, na polícia todo mundo sabe que a fuga ocorre quase sempre no plantão do melhor carcereiro, do correto, honesto, nunca no daquele que entregou a arma, a serra, a broca, os pastéis, ou seja lá o que for para dentro das celas.

Os presos sabem que a fuga prejudica o carcereiro e ele é, no mínimo, ripado. Por isso esperam para fugir no plantão do que é correto, obviamente. Se for frustrada a fuga, os presos mantêm o fornecimento dos ilícitos pelo corrupto.

Fiz um olhar (falso) de quem concorda com o delegado titular e retornei ao plantão. Depois daquele dia, os pastéis foram proibidos.

— Entendeu, João? Quem trabalha comigo não vai preso. Precisamos colocar a covardia à prova.

Ineficaz o meu combate à covardia. Foi frustrante. Com o passar dos dias, os carcereiros passaram a me odiar, pois não recebiam mais a diferença de dinheiro da compra dos pastéis.

Naquele dia eu não poderia imaginar que o meu próximo grande problema seria justamente por causa de um carcereiro policial. Mas, antes dele, mantive o meu trabalho. Uma janela de fase boa se abriu na delegacia da Vila Formosa. O investigador Rubens, aquele sempre bem vestido, com ares de modelo e cabelo engomado, voltou para a minha equipe. Rapaz correto, honesto, sedento por estudo, mas meio perdido. Sinto-me orgulhoso de ter contribuído para o encaminhamento dele. Ele era novo de carreira, novo na polícia, e eu temia que ele pudesse se desviar para o caminho oculto da instituição. Mas o seu caráter foi mais forte que isso, e desde muito cedo ele assumiu uma posição de policial honesto, característica que carrega até hoje.

Naturalmente, pessoas semelhantes sob o ponto de vista ético e moral tendem a se aproximar. Meu investigador se transformou em meu aliado. Trabalhava muito. O escrivão de polícia não consegue fugir de muito trabalho, cabe a ele elaborar os boletins de ocorrência, um atrás do outro. O investigador plantonista, entretanto, pode esquivar-se de ajudar, sendo mais fácil para ele ficar olhando para a parede, prestes a babar.

O Rubens, não. Estava sempre a postos para ajudar. Desde o atendimento inicial das pessoas, do telefone, até a própria investigação inicial. Ele fazia diferença, era um ótimo policial, de confiança. Sempre é bom ter um policial de confiança ao seu lado, em sua equipe.

Em um domingo, desabafei:

— Consegui mudar para uma equipe plantonista só para não encontrar com a chefia. Essa é a vantagem de se trabalhar à noite e nos finais de semana nesse sistema novo.

— Verdade — disse o Rubens. — Mais cansativo, mas mais sossegado.

— Por falar nisso — murmurei —, o que o delegado titular está fazendo na delegacia em pleno domingo?

Rubens levantou-se da cadeira para se aproximar da minha mesa:

— Aproveitando, doutor, estão comentando que o titular vai instaurar inquérito para culpar os delegados de plantão. Sumiram peças dos carros apreendidos — e apontou pela janela um mar de veículo abandonados, sepultados no terreno contíguo.

— Sério? Que canalha esse titular. — Desafoguei o nó da garganta. — Deixa comigo, resolvo isso.

Saí pelo corredor em direção ao primeiro andar. Após utilizar meu "superpoder" de tomar decisões importantes em segundos, desenvolvido na própria polícia, entrei em sua sala.

— Doutor Natan, o senhor está instaurando um inquérito policial para apurar o sumiço de peças de veículos?

— Isso mesmo, sumiram peças dos veículos que estão atrás da delegacia, mas dentro do nosso terreno. Precisamos apurar quem é o culpado. Aliás, por que os delegados de plantão não fizeram nada? Vou instaurar, sim!

— Em primeiro lugar, não é sumiço, doutor. Isso é crime, óbvio que foi peculato. A subtração foi praticada por policiais, não tenho dúvida disso — afirmei, confiante. — O senhor pode colher meu depoimento primeiro, se quiser. Precisamos descobrir quem foram os policiais furtadores. Em segundo lugar — frisei —, por que esses veículos estão abandonados no terreno da delegacia?

— São carros apreendidos — pontuou em voz amansada.

— Isso mesmo, alguns deles eu apreendi. A guarda do objeto apreendido é do escrivão, mas obviamente um carro não cabe no armário dele. Começarei assim o meu depoimento.

— Ah... deixa isso pra lá — disse ele, contrariado, mas amigavelmente. — Vou tentar mandar esses carros embora daqui.

No fundo eu sabia qual era a intenção dele, pressionar os delegados de plantão para cuidarem dos veículos apodrecidos, para tornarem-se vigilantes daquele deplorável pátio improvisado. Um absurdo.

Obviamente ele não instaurou inquérito algum, nossa conversa deixou transparente quem seria responsabilizado: ele próprio. Afinal, após a elaboração do auto de exibição e apreensão, o escrivão guarda os objetos pequenos e entrega o documento ao chefe dos escrivães. Cabe ao responsável pela unidade — o delegado titular — encaminhar os veículos a um pátio próprio para a guarda. Se ele os deixava abandonados na delegacia, era no mínimo conivente com os furtos — obviamente praticados por policiais da delegacia. Dizia-se que, durante as madrugadas, em determinada equipe, a delegacia parecia uma oficina de desmanche de peças. Só sobravam as carcaças.

Ninguém gostava daquela situação, o campo verde e bonito de outrora parecia um mar de veículos depenados, entulhados. Poças para os mosquitos da dengue e outras pragas. Nem a Catarina gostava; mais de uma vez se viu obrigada a expulsar intrusos que se aninhavam nos veículos.

Não demorou muito para o investigador-chefe me confessar, reservadamente:

— Só entre nós, doutor Rodrigo. Para encaminhar veículos apreendidos aos pátios existentes, só pagando uma propina.

— Até isso se paga? — disse, surpreso.

— Até isso, acredite. Mas nossa delegacia não rende muito, tem pouca recolha mensal. O titular não quer gastar dinheiro com isso.

Não só nesse episódio, mas também em outros, eu estava mais protegido com o investigador Rubens em minha equipe. A essa altura da carreira — mais de três anos —, eu havia amadurecido, era mais experiente. Entendendo o sistema, parecia mais fácil me proteger dele. Voltei aos estudos. Rubens iniciou o mesmo caminho: concurso. Eu o incentivava, me coloquei à disposição para ensinar Direito Penal ou outra matéria.

Cumpria com as minhas obrigações, mas às vezes presenciava a corrupção e deixava de atuar contra ela. Embora tenha amigos que se dizem "obrigados a prevaricar", eu discordo. O crime de prevaricação exige dolo, reclama interesse ou sentimento pessoal. Os bons delegados não têm escolha, deixam de agir simplesmente porque não é possível. Não se pode exigir deles outra conduta, nem se quisessem alterariam o "núcleo duro" do sistema podre. É a regra do jogo.

Não praticam prevaricação, apenas sobrevivem.

Eu presenciava, por exemplo, um mesmo indivíduo entrando na delegacia no começo da noite, perguntando pelo chefe dos investigadores. Eram duas vezes por mês, religiosamente. Todos sabiam que se tratava da recolha, da pessoa responsável por trazer o dinheiro da corrupção. Sentia-me violado ao assistir seus passos firmes, da entrada do plantão à escada que o levaria ao chefe dos investigadores. Sentia ânsia e revolta, impotência também.

Às vezes, os investigadores da chefia levavam o Rubens para alguma diligência, diante da necessidade de um número maior de policiais. Eu não podia recusar cedê-lo, nem ele se recusar a ajudar. Era tenso. Um dia, ele retornou de uma diligência, perto do fim do plantão, e me contou:

— Doutor, estou sem jeito, mas preciso te contar.

— Pode contar.

Havia confiança da minha parte, ele sabia disso.

— Os investigadores da chefia te odeiam, te chamam de hipócrita — revelou ele.

— Hipócrita? Sei que me odeiam, mas essa qualificação é injusta.

— Dizem que o Brasil é assim mesmo, mas o senhor quer mudar o mundo. E isso seria uma hipocrisia.

— Rubens, não quero mudar nada, só não sou obrigado a participar da corrupção, não sou obrigado a ser corrupto. Simples assim.

— Concordo.

— Já basta o que sou obrigado a presenciar, sem poder fazer nada. — Segurei o braço dele fraternamente. — Rubens, cuidado, o sistema tenta nos puxar para o mesmo balaio. Continue estudando.

Enquanto me afastava para ir embora da delegacia, ele veio atrás de mim, sem jeito:

— Tem mais uma coisa. — Parou para respirar fundo. — Achei estranho. Quando voltávamos hoje da diligência passamos na delegacia da Santa Cecília para deixar um preso temporário lá. Os investigadores encontraram o delegado titular daquele distrito, amigo deles, e ficaram conversando.

— Imagino a conversa — sorri.

— Pois então, doutor, sem saberem que somos amigos, reclamaram do senhor na minha frente, disseram ao titular que o senhor é muito zica, caxias, não deixa eles trabalharem em paz. — Rubens fez uma pausa, então continuou: — O delegado titular da Santa Cecília afirmou aos investigadores que aquilo era um absurdo, que ele te conhecia e você era um puta de um ladrão.

A vida na polícia é surpreendentemente surpreendente. Um delegado que eu conhecia apenas de vista disse aos investigadores corruptos da minha delegacia que eu era um "puta de um ladrão", um corrupto contumaz, um correria sangue nos olhos.

Até hoje não entendi o que ele quis dizer com aquilo. De duas, uma: ou esse delegado realmente acreditava que eu também fosse corrupto como ele, porque, sei lá, eu sempre fui extrovertido, ou ele ficou ofendido ao saber que eu era eticamente o oposto dele e tentou me jogar na vala comum da podridão policial.

Mas o pior em minha passagem pela Vila Formosa estava por vir. Característica interessante na minha carreira é que após a tempestade vinha a bonança, porém cíclica. Como em um oceano, a tempestade voltava. A luta pela sobrevivência em alto-mar é cansativa, às vezes a maré é cruel, sequer espera por nossa recuperação.

Era uma noite fria como outra qualquer, no meio da madrugada eu terminava um auto de prisão em flagrante, no 86º DP. Eu respondia por outras duas delegacias ao mesmo tempo, a do Tatuapé e a do Carrão. Todas as ocorrências eram registradas em meu nome. As mais complicadas eram decididas pelo telefone, eu orientava os escrivães a distância e, no caso de prisão em flagrante, ia pessoalmente aos distritos.

Um policial militar entrou no plantão e perguntou:

— Doutor, e a fuga do 94º DP, como está?

— Fuga? Você deve estar se confundindo, lá está tudo bem — respondi.

Adrenalina foi liberada em meu corpo. O policial percebeu que eu não tinha ideia do que estava acontecendo.

— Os presos acabaram de fugir do 94º DP, doutor, há dez minutos, no máximo — explicou o policial.

Um sentimento estranho. Porém, mais estranho é a polícia querer lhe atribuir a responsabilidade por três delegacias ao mesmo tempo, como se pudéssemos estar em todas. As leis da física são implacáveis. Sem falar nada, me dirigi à viatura, Rubens pegou as chaves e veio rapidamente, saímos em direção à delegacia do Carrão. Dos cem presos, vinte e cinco haviam fugido por um buraco, pelo tatu. O carcereiro policial estava à porta, desolado.

Henrique era um ótimo carcereiro, comprometido, humilde. O salário de um carcereiro é especialmente baixo. Para complementá-lo, ele consertava máquinas de lavar. Era baixo e possuía uma barriga saliente, vivia com seu cigarro à boca, pendurado, fumava muito.

É preciso entender que, após uma fuga, comunica-se o ocorrido à sede da polícia, por rádio, para que as viaturas iniciem a procura dos foragidos. Eu não ouvi sobre a fuga, pois estava em outra delegacia e longe do rádio, fazendo um flagrante.

Eu me aproximei do Henrique, sentado à porta da delegacia como um pedinte, com as duas mãos na cabeça. O silêncio da madrugada dominava o ambiente, chegava a incomodar. O plantão, vazio e meio escuro, completava o ar sombrio, as lâmpadas queimadas se sobrepunham às que funcionavam.

Henrique levantou a cabeça lentamente e fixou-me como um cachorro de rua. Sabíamos que todos estavam sendo acionados. Delegado titular, delegado seccional, às vezes até o diretor. A corregedoria também costuma aparecer. A inundação de viaturas e chefes ocorreria a qualquer momento.

— Doutor, eu avisei o chefe, não era para liberar o X. Eu avisei, eu avisei... — parecia uma criança falando, voz chorosa e sofrida.

— Calma, Henrique, eu sei que você é correto, me conte com calma.

Ele arregalou os olhos. Arrasado e assustado com a fuga, sabia que poderia ser preso independentemente de culpa.

— Me ajude, doutor, eu não quero ser preso, eu não quero...

— Calma — coloquei a mão em seu ombro.

Henrique possuía família, cinco filhos criados com muita dificuldade com seu salário miserável. As máquinas de lavar não ajudavam muito. Tentei imaginar o inimaginável: o que se sente diante da real possibilidade de ser preso? Pior, sem ter feito nada de errado, sem ter culpa. Eu não concordava com aquilo.

Consegui acalmá-lo um pouco. Henrique me contou que, depois da última fuga, uma reforma foi necessária, para colocar concreto em todo o túnel anteriormente construído. Mas aí estava o problema, o concreto demora uns dias para secar, ou para aderir às paredes do buraco, não sei ao certo. O fato é que a cela (o "X") não poderia ter sido liberada para uso, não poderiam ter colocado presos nela antes do tempo adequado. Provavelmente, devido à lotação da cadeia, o delegado titular concordou com o chefe dos investigadores e liberaram o uso daquela cela. Dito e feito, os presos retiraram com facilidade o concreto molhado e fugiram novamente.

— O chefe sabia do problema, doutor, eu falei com ele pessoalmente. Falei, para não deixar dúvidas de que ele sabia, era fuga anunciada — falou Henrique.

— E ele disse o quê? — perguntei, para saber dos detalhes.

— Disse que a pressão estava grande, muitos presos. Disse que teria de liberar o X para não virar a cadeia. Me ajude, doutor — desabafou, em tom desesperado.

Eu teria de usar meu "superpoder" novamente, desta vez, muitas decisões em poucos segundos. Sinto falta de ar só pela lembrança. Embora me comportasse como alguém extremamente forte, dentro de minha carapaça havia medo misturado com ansiedade. Dos fundos da delegacia, surgiu o investigador de plantão do 94º DP. A tormenta se aproximava rapidamente.

— Ligaram da seccional — disse o investigador. — O seccional está vindo para cá.

Tive de decidir, não havia mais tempo. Eu sabia que prenderiam Henrique, não interessava culpa, mas manter as cadeiras. Uma fuga poderia derrubar até o seccional, ele teria medo de ser transferido pelo diretor. O delegado titular, então, tinha mais chance de ser ripado. Nessa hora, cada um quer se segurar como pode, imagina perder a recolha, que tragédia!

Antecipei-me, liguei para a corregedoria. Uma delegada simpática atendeu, disse que já sabia da fuga e estava vindo ao distrito.

— Preciso da sua ajuda — disse à corregedora por telefone. — Você sabe a pressão que sofrerei aqui, o titular e o seccional estão vindo. O carcereiro não tem culpa nenhuma, a cela foi indevidamente liberada pela chefia.

— Estou indo aí — afirmou a delegada.

Contei sobre o concreto molhado, sobre a imprudência do titular, mas apenas por telefone. Embora corregedora, era plantonista como eu. Delegada mais nova, não poderia fazer muito. Colocando-a a par da verdade, de certa forma, eu a colocava em uma sinuca de bico.

Rapidamente as viaturas foram chegando, uma a uma, algumas com a sirene ligada, todas com sinais luminosos. O ambiente se transformou, policiais se multiplicavam pelo prédio da delegacia. Henrique permaneceu acuado, em um canto. O delegado seccional chegou; logo depois, o titular. Eles se aproximaram de mim, me reconheceram porque eu estava de terno.

Ainda que eu respondesse por três delegacias ao mesmo tempo, os plantões eram noturnos e por isso eu não conhecia o delegado titular do 94º DP. Minha delegacia de origem ainda era o 86º DP. Concluí que o homem à direita do seccional, Leonardo, era o titular. Sua postura submissa e covarde lhe entregavam.

— Que merda você fez? — perguntou-me grosseiramente o seccional. O titular permaneceu quieto todo o tempo.

— Fiquei sabendo depois que a fuga ocorreu, na verdade — respondi.

Com uma tosse forte, ele me interrompeu, então disse em voz alta:

— Está vendo, por que não estava aqui ajudando a cuidar dos presos? Você é culpado por essa merda!

— Eu estava fazendo um flagrante no 86º DP, doutor, não posso estar em mais de um lugar ao mesmo tempo — argumentei enfaticamente.

Ele me olhou com raiva, percebeu que não poderia me atribuir a culpa pela fuga. Naquele exato momento, após ter se formado uma pequena roda — o titular, o seccional e eu —, a delegada da corregedoria apareceu na porta, uns oito metros distante de nós.

O seccional me olhou com mais raiva e resmungou:

— Quem mandou você chamar a corregedoria, que merda você fez?

— Eu não chamei a corregedoria. Comuniquei a fuga conforme determina a portaria.

— Cala a boca, você fez merda — disse o seccional em voz baixa.

Fiquei quieto em meio àquela situação caótica. Viaturas, inúmeros policiais, a delegada da corregedoria se aproximando e o delegado seccional me mandando calar a boca. Tive vontade de responder à agressão verbal, mas concluí que seria melhor esperar o desenrolar dos acontecimentos.

A delegada plantonista da corregedoria integrou a roda.

— Não interessa o que aconteceu, vamos prender o carcereiro em flagrante. Ele tem de ficar preso, e não quero saber de fiança ou sei lá o quê — concluiu o seccional.

— Mas, doutor — ponderou a delegada —, parece que liberaram a cela antes do tempo, com cimento molhado.

— De jeito nenhum — interrompeu o delegado titular. — Já estava seco!

Eu, inserido naquela pequena reunião — na verdade, uma rodinha de delegados —, assistia.

— Agora não interessa — concluiu o delegado seccional. — Vamos prender o carcereiro.

Percebi rapidamente que não havia argumento. Não interessava uma possível culpa administrativa naquele momento, muito menos regras de Direito Penal. Estava em jogo apenas a repercussão daquela fuga e as prováveis consequências para eles: perderem as suas cadeiras.

Infelizmente, a delegada corregedora não parecia se preocupar com a justiça, ou com o certo e o errado. Ela não se dispôs a enfrentar um delegado seccional. Talvez, reconheço, ela tenha ficado com medo de enfrentá-lo.

Eu me acovardava a cada segundo, ciente de que não tinha forças para combater todo o sistema. Mas algo me incomodava, me cutucava como uma agulha. Olhei para o Henrique, pessoa de bem, sentado em um canto à espera da sua sentença — injusta, diga-se de passagem.

Tive uma ideia.

— Doutor, eu posso começar a prisão do Henrique? — perguntei ao seccional.

Ele me olhou e assentiu, sem raciocinar muito. O telefone dele tocava, era o diretor. Enquanto se explicava em tom submisso, dizendo que o carcereiro seria preso, chamei o Henrique e entramos em uma sala com computador.

— Henrique, eles querem te prender, vou fazer um termo circunstanciado de fuga culposa, depois eles não conseguem mais mudar. Rápido, me dá seu documento!

Uma coisa que aprendi na carreira de delegado é que entre os delegados titulares e, principalmente, os seccionais, muitos não sabem Direito Penal, nem processo penal. Não se atualizam, muito menos se dedicam ao estudo. Eu sabia que o seccional nem imaginava a capitulação do crime, a pena, se naquele caso caberia prisão em flagrante ou crime de menor potencial ofensivo. Ele estava preocupado em manter seu posto. Registrei o fato como crime de fuga culposa, o de menor pena. Com essa capitulação não seria feito o auto de prisão, e o processo se deslocaria para o juizado especial criminal, para as "pequenas causas". Ao final, Henrique não ficaria preso.

Fiz mais: coloquei no próprio termo, em negrito, que eu discordava da classificação e que Henrique não tinha culpa. Destaquei o fato de que eu estava apenas fazendo o termo circunstanciado por "determinação" do delegado seccional.

— Henrique, esse documento chegará ao Fórum. Você tem de ir lá conversar com o promotor, mostre a ele que fiz contrariado. Coloquei aqui — apontei o documento — que eu não concordo com a sua culpa, entendeu?

O delegado seccional nem percebeu que Henrique não ficaria preso, pois a delegada levou-o para a sede da corregedoria. Pareceu que ele saiu preso do 94º DP, mas não foi. Na corregedoria seria ouvido em procedimento administrativo e depois liberado. Com os papéis na mão, me aproximei do seccional, enquanto ele conversava com o delegado titular:

— Doutor, quer uma cópia da prisão? — Mostrei o termo circunstanciado. — Ou encaminho à seccional por ofício?

— Depois vejo isso — respondeu com a sua costumeira estupidez.

— Estou com um flagrante em andamento no 86º DP e chegou outro no 30º DP, posso ir fazer?

— Some daqui! — respondeu, mais grosseiro ainda.

Essas foram as últimas palavras que eu ouviria daquele seccional. Não demoraria para ele sucumbir a uma grave doença: metástase decorrente de tabagismo.

Claro, tomei uma ripa para a 2ª Seccional, zona sul. Terminava a minha jornada pela zona leste de São Paulo.

Rubens acompanhou tudo, soube dos detalhes, do fato de eu ter ajudado o Henrique. Mas a polícia é complexa, não foi essa a imagem passada aos demais policiais. Leonardo mentiu, disse a todos que, enquanto tentava ajudar o carcereiro, o delegado de plantão — eu — se precipitou e o prendeu.

Os policiais não se preocuparam em ler o documento que eu tinha feito, que registrei contrariado "por determinação". Aceitaram facilmente a versão do seccional e dos titulares, a de que o plantonista decidiu prender o carcereiro. Fui usado mais uma vez. Leonardo segurou o seu cargo pelo pouco tempo de vida que ainda lhe restou e conseguiu fomentar a minha fama de "delegado problema", de zica, fama que perseguia os melhores policiais.

Mas tudo bem, eu estava satisfeito por ter salvado Henrique da prisão.

CAPÍTULO 8
2ª Seccional

Fui criado no bairro de Moema, em São Paulo. Morava e estudava perto da escola, a poucas quadras de distância. Isso fez com que eu fincasse minhas raízes naquele bairro, percorrendo entre a região da avenida Paulista e o bairro do Brooklin. Estar na escola, católica, era como estar em família. Mantenho até hoje as amizades de infância. Íamos muito ao shopping Morumbi na minha boa adolescência.

Embora tenha sido criado sob o manto da Igreja Católica, nunca fui assíduo praticante, mesmo porque, desde que me entendo por gente, minha mãe dizia: "Ir à igreja só faz bem. Mas tudo bem, o importante é ser correto, não fazer mal ao próximo". E concluía com segurança: "Pode conversar com Deus em qualquer lugar, Ele sempre te escutará".

Concordo. Minha carreira como delegado de polícia era muito parecida com uma guerra, de batalha em batalha eu ia sobrevivendo, mas sempre acreditando que Deus me protegeria. Como se estivesse predestinado a passar por tudo aquilo. Por isso sei que ele me ouviu mais uma vez, me ajudou. Ironicamente, fui "ripado" para perto de casa, para o 36º DP, da 2ª Seccional.

No meu último dia no bairro da Vila Formosa, recebi a portaria das mãos do chefe dos investigadores. Ele me olhava com sarcasmo, fez questão de vir entregar o envelope em mãos, como se estivesse me expulsando daquela delegacia. Também quis dizer que todos — não só do 86º DP, mas de toda a seccional — estavam muito felizes com a minha ripa. Quando abri o envelope e li que no ofício constava o 36º DP, delegacia mais bem estruturada e próxima à minha casa, fiquei muito surpreso. Surpresa justificável, pois eu conhecia o delegado seccional e sabia que ele não teria qualquer complacência, seria implacável na minha punição. Depois, fiquei sabendo que, no dia seguinte à fuga, ele bradou em sua sala, cercado por delegados e demais policiais da seccional:

— Mande aquele delegadinho de merda para o mais longe possível! Quero ferrar com a vida dele.

Ironia do destino — ou ajuda divina —, naquele dia veio um pedido político direto da Secretaria de Segurança Pública para que um delegado do 36º DP fosse transferido para o 86º DP. A ordem superior exigia o cumprimento imediato. Acabaram, na pressa, fazendo a minha troca com esse delegado, que nem conheci.

O chefe dos investigadores da Vila Formosa também fez questão de dizer que o delegado titular, "Ratanatan", tinha proibido cachorros na delegacia. Ele fez de propósito, sabia que eu gostava dos bichos, principalmente da Catarina.

Depois de tantos anos, Catarina tomou a sua ripa junto comigo. Ela não tinha feito nada, tinha inclusive evitado algumas fugas com seus latidos durante as madrugadas. Mesmo assim, foi ripada. Sem pestanejar, coloquei-a no carro e viemos embora. A Catarina foi para a casa dos pais da minha namorada; eu sabia que não poderia deixá-la no 36º DP, uma delegacia de bairro nobre.

CAPÍTULO 9

36º DP: "Uma passada breve, mas intensa"

Foi assim que me aproximei de casa, do meu bairro de infância, de criação. Por causa de uma ripa, uma transferência punitiva, corriqueira na época. Dizem que hoje não é mais assim. Espero que não mesmo. Pelo menos a Catarina ganhou um lar, mas de vez em quando seu olhar entregava a saudade que sentia da Vila Formosa. Apesar de tudo, às vezes eu sinto também.

A delegacia da Vila Mariana parecia de primeiro mundo. Bairro nobre, bairro de gente rica. Era bem diferente do "fundão da leste", como dizem na polícia. A delegacia tinha sido totalmente reformada, chão de porcelanato e mobiliário novo, tipo de escritório moderno. O terreno abrigou o antigo DOI-CODI na época de exceção e por isso tinha fama de mal-assombrado.

Os funcionários eram mais bem preparados, dedicados. O plantão possuía boas equipes, nada de investigador prestes a babar, muito menos prestes a ser expulso da polícia. Esse tipo de gente era ripada para o fundão. Mas os plantões não paravam, ocorrências infinitas, prisões e tudo o mais que se pode imaginar. Não havia tempo para o almoço, engolia um lanche e, depois, fazia um xixi rápido.

Antes de me apresentar no 36º DP, me apresentei na respectiva 2ª Seccional. Situada em um suntuoso prédio na avenida Luiz Carlos Berrini, no Brooklin, cheguei cedo para receber um papel de encaminhamento ao 36º DP — de novo a burocracia burra, ou talvez o exercício de hierarquia. Estava esperando na antessala do delegado da nova seccional desde as oito horas da manhã, mas fui atendido somente às onze. Três horas esperando para receber um papel me encaminhando ao 36º DP. Se a transferência é publicada no *Diário Oficial*, por que eu não poderia me apresentar direto na delegacia de destino? Não, todos somos obrigados a fazer a via-sacra, passar por todos os lugares como se uma benção fosse necessária.

O problema é que, com toda essa demora, tive de ir direto para o 36º DP. Cheguei cedo para o meu primeiro plantão noturno, que começaria às vinte horas. Não pude descansar. Como de costume, logo ao chegar já me deram uma longa ficha cadastral, para preenchê-la com os mesmos dados fornecidos em todos os outros lugares por onde tinha passado. Burocracia burra.

O plantão começou. A delegada do dia se despediu rapidamente. Embora simpática, mal pôde conversar comigo, disse que precisava correr para estudar para um concurso para o Ministério Público. Ela parecia fugir do plantão, seu passo era apertado, quase uma marcha atlética. Senti desespero e esperança em seu olhar. Contou, enquanto se afastava, que alcançara a marca de dez horas de estudo por dia.

Senti certa inveja, ela se afastava como se buscasse um bote salva-vidas. Enquanto isso, eu parado no convés de um navio à deriva.

— Doutor, estamos com um caso grave — me cutucou um policial militar.

O plantão mal havia começado, meu cansaço era aparente, havia acordado sete horas da manhã, passava das vinte e uma.

— Essa senhora — apontou uma mulher de trinta anos, no máximo — tem uma denúncia para fazer.

Trouxe-a até a sala dos delegados de plantão. Em particular, ela me contou ter descoberto que seu filho, naquela ocasião com catorze anos, tinha sido vítima de abuso sexual. O namorado dela, um ator profissional, abusava do garoto desde os onze anos. A mulher contou que no dia anterior àquele plantão flagrou o namorado sem roupa, com o pênis ereto, embaixo da coberta com o filho, também nu. Após ter flagrado a repugnante cena, conversou com o menino e ele confirmou as relações sexuais desde os onze anos.

Eu não poderia prendê-lo naquela hora, porque não era mais uma situação de flagrante delito. A lei processual só permite mandar o indivíduo imediatamente para prisão se, em síntese, for surpreendido na prática do crime. Estávamos muitas horas distantes da surpresa. A mãe disse que ficou desnorteada e por isso não chamou a polícia na noite anterior, mas mudou de ideia naquele momento e foi pedir ajuda. Ela saiu de casa com o menino, ambos com as roupas do corpo, praticamente de pijamas, e foram para o plantão policial.

A mãe da vítima olhava para o chão, sentada em posição quase fetal. Suas mãos tremiam, segurava o choro com dificuldade. Levantei-me e coloquei um copo com água em sua mão.

— Onde ele está agora, senhora? — perguntei.

— Na minha casa, fica a duas quadras daqui. — Deu um gole barulhento, muito nervosa.

Olhei para dois investigadores, que eu mal conhecia, e decidi:

— Podem ir até lá, se ele atender e chegar no portão, coloquem as algemas e tragam-no imediatamente preso. Não entrem na casa, se ele não atender, teremos de esperar até amanhã.

Dito e feito. Em poucos minutos, chegavam os investigadores com o homem preso. Um ator profissional, reconhecido no meio, olhava para baixo como se confessasse seus crimes.

— O senhor ainda não está preso, mas está obrigado a ser qualificado, identificado e interrogado, ainda que nada responda. Enquanto isso — adiantei a ele — pedirei a sua prisão temporária.

Só quem preside plantões sabe o que significa isso. Todo o trabalho. Mantê-lo preso só seria possível por meio de um pedido judicial, feito perto da meia-noite. Como não era possível autuá-lo em flagrante, iniciei uma enormidade de documentos para formar um expediente e requerer a decretação da prisão temporária.

Passei a noite em pé e correndo, em meio a papéis, para dar tempo de finalizar o trabalho para procurar o juiz de direito plantonista. Documentos complicados, basta imaginar a colheita de declarações da vítima, um garoto, a descrição dos abusos em detalhes, o grande constrangimento. Depois, encaminhá-lo ao hospital para exames e encaminhamento a um psicólogo.

Eram quatro horas da madrugada, então cinco, e eu ainda trabalhava para finalizar o inquérito policial. Enquanto isso, aguardava a decisão da justiça sobre manter o abusador preso. Quando o sol raiou, eu me sentia embriagado pelo sono. Eram quase vinte e quatro horas acordado trabalhando, desde as sete horas do dia anterior, quando me apresentei à seccional sul.

Havia um complicador. O ator era profissional e a imprensa ficou sabendo. A própria mãe da vítima admitiu ter passado a informação com receio de que alguém pudesse "ajudá-lo" por influência. Eu entendo. O fato é que, com a imprensa na porta, o barulho e as luzes de câmeras se acumulavam, enquanto ainda faltava realizar o interrogatório do abusador. E mais, o frio havia sido intenso durante toda a noite, com muito vento entrando pela janela. Sem perceber, fiquei com os lábios rachados, em carne viva, sangrando e com dor.

Reclamei em tom de confissão à escrivã, mas não havia tempo para comprar manteiga de cacau.

— Doutor, tenho brilho, desse que mulher passa nos lábios — disse ela, enquanto procurava o objeto na bolsa. — Deixa molhado o lábio, pode ajudar.

— Eu quero. Com a dor que estou sentindo, passo até batom se melhorar — brinquei.

Essa era a cena enquanto o dia chegava, o sol vinha forte. Eu interrogava o ator pedófilo e passava um brilho nos lábios a cada duas ou três perguntas.

O sentimento de dever cumprido é a recompensa. Uma mistura de euforia com relaxamento e cansaço. A prisão temporária do investigado foi decretada e eu tinha colocado um pedófilo na cadeia, "atrás das grades", como se diz nos filmes.

Quase sem condições de dirigir meu carro devido à exaustão, por volta das nove horas, fui para casa. Tinha avisado a equipe plantonista que entrou pela manhã que eu não daria entrevista. Quando fui embora, a delegacia estava cheia de repórteres.

Chegando em casa, tirei o terno suado por reflexo. Coloquei a mão no bolso lateral do paletó e percebi que havia trazido o batom-brilho da escrivã. Depois compraria outro para ela. Eu estava realmente exausto. Pela última vez passei o brilho nos lábios, agora um pouco melhores, realmente aquele produto ajudara nas lesões. Deitei como se me entregasse ao acaso, mal sentia meu corpo.

— Estão ligando da delegacia seccional, disseram que é urgente — disse a minha mãe.

Não tenho conhecimentos médicos para explicar, mas me veio uma força que desconhecia possuir. Seria adrenalina? Liguei para a delegacia seccional e o delegado não me atendeu, mandou a secretária dizer que eu tinha meia hora para estar lá. Deveria comparecer imediatamente, contar pessoalmente sobre a ocorrência do ator.

A palavra desrespeito é suave para fazer jus à situação.

Embora todos os dados e acontecimentos estivessem detalhados nos documentos que eu fiz, o delegado mandou que eu comparecesse ao prédio da seccional para lhe contar a ocorrência. É isso mesmo? Parecia um pesadelo. Antes fosse. Questionei a secretária se poderia falar pelo telefone, disse que estava há quase trinta horas sem dormir, mas não adiantou.

— Doutor Rodrigo, falei com ele e é para vir mesmo, agora, ou a ripa será distante — ameaçou ela.

"Outra ripa, não", pensei. Nem cheguei direito. Olhei para o terno, estava amassado, sujo. Coloquei uma calça jeans, camisa e um sapato social. Eu estava bem vestido. Cheguei à seccional em vinte minutos, do bairro de Moema ao Brooklin não demora muito.

Estacionei meu carro na rua, era proibido parar no estacionamento da seccional. Permaneci em um pequeno sofá, aguardando. Meus olhos ardiam, as lesões dos meus lábios eram aparentes e sofridas. Entre um e outro que passava pela antessala, quando ninguém estava olhando, eu usava o brilho nos lábios, não aguentava mais de sono, estava embriagado pelo cansaço.

Um homem de terno se aproximou, era um delegado-assistente do seccional. Antes que eu pudesse levantar, ele anunciou:

— O delegado seccional saiu, pode ir embora, ele já viu o que queria — respondeu em tom arrogante. Mediu-me de cima a baixo, obviamente reprovando não sei o quê. Nada respondi, apenas me virei e saí em direção ao meu carro.

Não me lembro quantas horas eu dormi naquele dia, foram muitas. Não sei o que aconteceu com o ator. O final dessa história é que fui ripado para o 88º DP, no bairro do Campo Belo. Deve ter sido a menor permanência de um delegado em um DP. Descobri existir a "ripa relâmpago".

CAPÍTULO 10

88º DP: "Não sou santo, mas não faço loucura"

Minha carreira como delegado de polícia perdurou longos doze anos, como se fosse uma pena a ser cumprida. Recheada de percalços, degrau a degrau fui descendo em direção à verdade. A cada obstáculo, sentia que o azar e a sorte andavam de mão dadas. Para cada problema, eu encontrava uma solução.

A caminhada perigosa e sofrida rumo ao conhecimento, às nuances da polícia, trouxe-me, por outro lado, a experiência, me fez mais seguro e preparado para me defender do sistema.

Fiquei apenas seis meses no 88º DP, e foi lá que aconteceram, em tão pouco tempo, tantos problemas. Na delegacia do Campo Belo, o sistema corrupto parecia mais escandaloso, mais evidente. Não havia pudor, a velocidade dos acontecimentos assustava e o fato de eu ser sujo qualificava o meu risco.

Naquela época, depois de namorar alguns anos, Daniela e eu resolvemos morar juntos, uma união estável. Eu a conheci em um curso preparatório para concursos, o curso do Professor Damásio. Foi no ano de 2001, ambos estudávamos. Daniela era morena e magra, falava rápido, mas com pausas entre as frases. Uma pessoa correta, honesta, trabalhadora. Idealista, seguia os passos de seus pais, família que se parecia com a minha, de gente digna. Cabeça erguida em um país conhecido pelos "jeitinhos".

Foi ela quem achou a casa para alugarmos, um sobrado no bairro do Campo Belo. A escolha foi pouco antes da minha ripa para o mesmo bairro, acreditem. Como sempre digo, minha caminhada foi marcada por duelos entre a sorte e o azar. Apesar de nossa casa ficar a menos de um quilômetro da delegacia, me apresentei tenso, apreensivo, nem sabia por que tinha sido mandado para aquele lugar.

As delegacias da 2ª Seccional, de bairros nobres, são em sua maioria muito movimentadas. O 88º DP não fugia à regra. Situado à rua Demóstenes, próximo ao shopping Ibirapuera, registrava demorados flagrantes todos os dias, todas as noites, além dos infinitos boletins de ocorrência. Os funcionários eram visivelmente melhores. Por outro lado, era descarada a falta de funcionários, ainda que fosse uma "delegacia modelo".

Eu não era mais um novato, nem ingênuo, quase cinco anos tinham se passado desde a minha entrada na polícia. O 88º DP, entretanto, se revelaria mais complexo do que eu poderia imaginar.

Apresentei-me na chefia dos escrivães, e o que tive de fazer? Isso, preencher um formulário extenso com todos os meus dados, pela enésima vez.

Meu primeiro plantão foi diurno, graças a Deus. Pelo menos não teria o risco de passar por outra ocorrência como a do ator. E, convenhamos, trabalhar perto de casa faz toda a diferença.

Bem recebido pelo delegado titular, tive várias recomendações sobre as peculiaridades daquele bairro. Ele disse que pessoas "importantes" não deveriam aguardar para registrar um boletim de ocorrência. Era o chamado "BO VIP".

— Quando for alguém que pode dar problema, encaminhe aqui para cima, fazemos o boletim por aqui — explicou o delegado titular.

— Como assim, doutor, dar problema? — perguntei.

— Veja lá, se for político, alguém do Conseg, aí manda disfarçadamente aqui para cima.

Enquanto as pessoas normais, desapadrinhadas, esperavam horas até o registro do boletim de ocorrência, era comum alguém "carteirar" como pessoa ligada ao Conseg, pedindo para passar na frente dos demais. O Conselho Comunitário de Segurança (Conseg) foi criado para unir a polícia à sociedade. A boa ideia de uma aproximação entre polícia e população com o escopo de melhorar a segurança foi, no entanto, desvirtuada. Na verdade, muitos membros se utilizavam desse *status* apenas para vantagens pessoais, nenhum pensamento coletivo.

Logo no primeiro dia, atendi um pomposo executivo. Do balcão do plantão foi possível vê-lo estacionando seu carro importado em uma das vagas destinadas às viaturas policiais:

— Sou do Conseg e estou com pressa, preciso fazer meu boletim de ocorrência — anunciou em voz discreta. O indivíduo olhou rapidamente para trás e viu por volta de dez pessoas esperando, mas não tão importantes quanto ele.

— O senhor não acha que o Conseg deveria reivindicar mais funcionários para o plantão, mais escrivães para um atendimento melhor a todas as pessoas, em vez de fornecer o tal do "BO VIP" apenas para alguns? — questionei.

Sem responder, com olhar arrogante e raivoso, o indivíduo se virou em direção à escada. Subiu ao primeiro andar rapidamente, sabia onde encontrar o boletim para os VIPs. Enquanto isso, o plantão continuava lotado, sobrecarregando o único escrivão.

Apesar de a delegacia ser movimentadíssima, sem estrutura que a suportasse, muitos queriam trabalhar nela. Concorrida, era conceituada pelos policiais correria como uma ótima delegacia.

O plantão tem duração de doze horas, diurnas ou noturnas, sempre com mudança às oito e às vinte horas. Ao final de cada plantão, uma ou meia hora antes, o escrivão deve preencher uma série de livros, como o de ocorrências, além de expedir mensagens e outras inúmeras e cansativas atribuições. Por isso é comum, e compreensível, que o escrivão não queira mais registrar ocorrências depois das dezenove horas.

Mas logo no meu primeiro plantão, antes que eu tivesse tempo para conversar com a equipe — dois investigadores e um escrivão —, chegou uma ocorrência. Passava das dezenove horas e trinta minutos.

— Doutor — disse o escrivão Tico, meio ofegante. — Chegou uma apreensão de adolescente, ele estava traficando, vou fazer a ocorrência.

Não tive tempo de responder, ele rapidamente se dirigiu ao computador. Seu desespero em fazer a ocorrência combinava com o de uma mulher, na porta da delegacia, que andava de um lado para o outro sistematicamente. Era a advogada.

— Tico, pode fazer, sim, mas eu faço o histórico, me chame logo depois de qualificar todo mundo. — Aproximei-me mais e ratifiquei: — Não encerre a ocorrência!

O sistema de registro digital de boletim de ocorrência não permite a sua alteração após o usuário finalizar o boletim. Isso é bom, traz segurança para o sistema. Não era preciso muita experiência para saber que algo estava errado. Escrivão querendo registrar apreensão de adolescente àquela hora? Com todo aquele ânimo? Nem pensar.

Tratava-se de uma ocorrência apresentada pela Polícia Militar, um adolescente infrator surpreendido comercializando drogas na favela da avenida Jornalista Roberto Marinho. Os pontos de droga são famosos naquela avenida. Após a criação da via, sobraram pequenos bolsões de favela entre os prédios da classe alta. Droga de boa qualidade e perto de casa é o que fortalece o tráfico naquele local até hoje. Onde há tráfico forte, há corrupção. Forte.

— Pronto, doutor, é só assinar, está pronto! — Tico, ávido, me encarava como se me empurrasse em direção ao computador. Óbvio, apesar da singular vontade de registrar essa ocorrência, ele queria ir embora, passava das vinte horas, a equipe da noite já estava no prédio.

Dirigi-me ao computador e passei a ler o boletim de ocorrência sobre o tráfico envolvendo o adolescente. Estava perfeito. O adolescente qualificado como infrator, a apreensão da droga, a qualificação dos policiais, não havia o que ser alterado.

Ao final, registrava a minha deliberação pela entrega do adolescente à genitora, nos termos do Estatuto da Criança e do Adolescente, Lei n. 8.069/90. Importante saber que nos termos do artigo 174, do Estatuto, a entrega do adolescente aos responsáveis é a regra, é o que determina a lei, salvo pouquíssimas exceções. Eu sempre cumpria a lei e entregava o adolescente aos responsáveis. E, diga-se, era o caso de entregá-lo naquela ocorrência.

Mas o suborno estava no ar, a corrupção. A advogada andava roboticamente de um lado ao outro, na porta de entrada da delegacia, como se esperasse o sucesso da ocorrência. Eu não poderia permitir aquilo, me revoltava. Contrariando a minha convicção — e, confesso, a própria lei —, mantive o adolescente preso, apreendido. Significa dizer que ele foi encaminhado à Vara da Infância e da Juventude.

Encerrei a ocorrência e fui para a minha sala, mas ao passar pelo escrivão pontuei:

— Tico, está imprimindo, é só colher as assinaturas.

Não demorou dois minutos para ele aparecer. Chegou atropelando os objetos pelo caminho, suando frio e com os olhos arregalados:

— Doutor, pelo amor de Deus, o senhor errou! Tem de liberar o menor, está na lei!

— Eu conheço a lei, Tico, dessa vez não vou liberar. Acontece que...

— Não, doutor — ele me interrompeu, nervoso — não pode, tem de liberar! — Aumentava o seu nervosismo. De repente, ao perceber que eu não alteraria a ocorrência, mudou para um tom acolhedor: — Doutor, teve um delegado que não liberou o menor para a mãe e se deu mal, foi processado. Isso pode te prejudicar!

— Não se preocupe comigo, basta a minha mãe se preocupando — ironizei. — Não liberarei o adolescente. Chega dessa conversa, Tico.

Quanta gentileza. Ele estava preocupado comigo? Não, apenas tentava me convencer a soltar o adolescente, mudando a sua estratégia desesperadamente. Nesse momento olhei para a porta da delegacia, a uns dez metros de distância, e o passo da advogada tinha acelerado, bem como o dos investigadores.

Eu tinha cutucado um formigueiro, aquele momento em que se desfaz a fila coordenada das formigas, repentinamente para o caos, cada uma para um lado sem saber o que fazer.

Encerrei o plantão e fui embora, satisfeito em ter atrapalhado o "trabalho" daquela equipe, que seria a minha a partir daquele dia. A satisfação nasce porque aprendemos que policiais corruptos usam o nosso nome para o acerto. Em muitos casos, não há nada que possamos fazer. Em outros, como esse logo no primeiro plantão, conseguimos evitar o acerto.

Na noite seguinte, início do plantão noturno, fui tomar o habitual café com o escrivão Tico. As padarias próximas às delegacias certamente possuem mais histórias do que eu.

Sentamo-nos em uma mesa no canto da padaria, reservada. Tico pressentiu uma conversa.

— Tico, não sou mais novato. Conheço mais da polícia do que eu gostaria.

— Eu sei, doutor, sua fama chegou antes aqui no 88º DP — explicou ele.

— Não faço nenhum tipo de acerto, tenho o maldito defeito da honestidade, que tanto me atrapalha. Sei que ontem aconteceu alguma coisa, pode me falar, na boa, não farei nada.

— Ah, doutor...

Ele titubeava, mas meu jeito o deixou à vontade.

— Pode falar, Tico — complementei em voz mansa.

— Aqui no 88º DP é tabelado, doutor — desabafou em voz baixa. — Liberou o menor do tráfico para o responsável, dois mil reais para a equipe de plantão. É tabelado. É sempre a mesma advogada, é conhecida nossa.

— Tico, mas a própria lei manda entregar o menor nesses casos.

— Pois é, dinheirinho limpo, sem problemas — disse ele, empolgado. — Apenas uma fumacinha.

— Tico, não sei por que vim parar aqui — apontei o 88º DP —, mas pretendo sair assim que possível. Conheço a fama desta delegacia, como vocês dizem, "boa pra trabalhar".

— Aqui é muito bom — acrescentou, desanimado com o meu discurso.

— Mas eu não faço nenhum tipo de acerto, não mesmo. Tive um escrivão no 86º DP que não acreditou e quis me trazer dinheiro. É sério, Tico, não permitirei nada de ilegal, mas prometo ir embora assim que possível.

— Os investigadores estão com raiva, doutor, disseram que não podem parar de trabalhar, têm contas para pagar.

— Sinto muito. Assim que conseguir, saio desta delegacia. — Ia demorar seis meses para isso acontecer. — Mas enquanto eu estiver aqui, nada de acerto. Fui claro? Depois não adianta reclamar.

— Doutor, eu danço conforme a música. Fique tranquilo, "não sou santo, mas não faço loucura".

A primeira frase, sobre dançar, eu ouvia com certa frequência, mas a segunda, até então, não. Na polícia, descobrimos que existe uma escala de corrupção. Os mais tranquilos só aceitam o dinheiro que cai na mão, como no caso do adolescente. Na época, Tico me explicou que muitos não queriam nem saber de onde vinha o dinheiro, sequer participavam da negociação por propina, mas aceitavam uma pequena parte. Mas havia os que eram mais atirados, os da "correria nervosa", que iam pra cima. São os achacadores, aqueles que saem sem pudor para praticar a extorsão. Para esses, o dia a dia na polícia se resume em procurar oportunidades para ganhar dinheiro ilícito. Vendem qualquer coisa, qualquer ocorrência. Geralmente são os que acabam presos, pois "fazem loucura".

No meio-termo, há uma espécie de "corruptos *light*": gostam de acerto, participam da negociação, mas sem extorquir de forma acintosa as pessoas. Por isso a expressão do escrivão Tico, ele se encaixava no meio-termo, na turma do "não sou santo, mas não faço loucura". Os dois investigadores, por sua vez, eram do tipo que faziam loucura. Mas é tragicômico perceber que, durante os plantões, todos tinham de se aturar, madrugadas inteiras juntos. Os investigadores mal me cumprimentavam, estavam claramente contrariados com aquela situação e demonstravam certa raiva de mim.

— Eu não acho justo vocês terem raiva de mim só porque sou honesto — pontuei numa madrugada, para um dos investigadores.

— Não é isso, doutor. Sabemos que o senhor quer ir embora, então tudo bem. A empresa tem de voltar a funcionar aqui, doutor, é assim que funciona. — Depois de poucos minutos, revelou: — A bronca é outra.

— Que bronca? — perguntei.

— O senhor é gente boa, mas veio em hora errada. Nós gostávamos do nosso delegado, tínhamos uma ótima equipe. A seccional ripou o nosso delegado pra zona leste, sacanearam com ele. Por isso estamos na bronca.

Tico presenciou a curta conversa. Depois, reservadamente, contou o que tinha acontecido:

— Doutor, a equipe estava nervosa demais. Os tiras acharam um caminhão com carga roubada, uma infinidade de televisores. O advogado veio de mala trazer o dinheiro para liberar os bandidos.

— Minha nossa — deixei escapar minha indignação.

— A carga foi liberada também — disse Tico, então sorriu. — Não toda a carga, até eu ganhei uma televisão de sessenta e cinco polegadas. Uma beleza, doutor!

— O titular ficou sabendo?

— Na verdade, essa ocorrência chegou até à seccional, autorizaram o acerto, mas o delegado não repassou o dinheiro pra cima.

A chuveirada. Equipe corajosa, chuveirou o delegado seccional. Esse tinha sido o motivo pelo qual mandaram o delegado para longe, me colocando no lugar dele.

— O senhor veio para acabar com a equipe, doutor — disse Tico. — Por isso os investigadores estão bravos.

— Eu nem sabia — me defendi.

— Eu sei, mas não adianta. Acabar com os trabalhos aqui deixou os investigadores com raiva. — Tico respirou fundo, olhou para os lados e confessou: — Estava demais, doutor, a correria estava tão grande que eu já temia ir para a cadeia, eles estavam mesmo exagerando.

— Estou me acostumando com esse tipo de história, Tico.

— Uma semana antes de riparem o delegado, os investigadores prenderam um empresário com mercadoria sem nota fiscal.

— E daí, polícia é fiscal de imposto agora?

— Sabe como é, doutor, meio fumaça. O delegado disse que apreenderia a mercadoria e o empresário concordou em pagar cinquenta mil reais.

— Vocês não têm medo, não? E se o empresário viesse com a corregedoria e não com o dinheiro da propina?

— Por isso que um investigador foi buscar o dinheiro junto com o empresário, em Santos.

— Onde? — era inacreditável.

— Em Santos, ficamos aqui aguardando o dinheiro chegar — sorriu envergonhado.

— Tico, isso é extorsão mediante sequestro, vocês sequestraram o cara!

— Que exagero, doutor, pagou e saiu nosso amigo ainda.

Assim era o 88º DP. Plantões intensos, pareciam intermináveis. Eu chegava em casa exausto, cansado, irritado. Daniela era mais uma vítima do sistema. Passei a tratá-la mal. Distanciava-me dela a cada dia, como se desejasse preservá-la de tudo aquilo, mesmo porque os estudos continuavam, ela pretendia prestar concurso para delegada de polícia.

Não queria desanimá-la de seus estudos. Eu tentava ler meus livros também, sonhava em sair daquele mundo. Mas o estudo piorava sistematicamente. Os problemas do plantão pareciam se acumular em uma bola de ferro presa à minha perna. O peso só aumentava, a esperança só diminuía. Eu tentava manter em segredo a minha vontade de sair da polícia.

A alta rotatividade de ocorrências com pessoas endinheiradas aumentava exponencialmente a possibilidade de acerto. Sentia-me um bedel desesperado atrás dos tiras, toda conversa com advogado era suspeita, minhas decisões pesavam.

Além de todos os problemas que enfrentava, ainda tinha de aguentar as pessoas em geral falando mal da polícia, desdenhando, como se fosse prazeroso humilhar uma autoridade.

Em síntese, eu era um delegado "amado no churrasco, odiado na delegacia". Essa triste verdade se revelou, aliás, em uma festa dos amigos da Daniela.

— Onde você está, Rodrigo? — perguntou Breno, promotor recém-aprovado no Ministério Público de São Paulo.

— Estou no 88º DP, no Campo Belo.

— Estamos morando perto da delegacia, bem melhor — pontuou Daniela.

— Bem melhor — concordei.

— A Daniela me contou, tem corrupção lá? — perguntou Andreia, amiga dos estudos.

— Tem em todo lugar, mas na minha equipe, não. Nem se os policiais quisessem, eu não deixaria — respondi.

— É disso que precisamos, até que enfim ouço isso! — disse o promotor. Todos se empolgaram e concordavam com a cabeça.

— O Brasil só vai dar certo com pessoas como você, Rodrigo, que ótimo! — acrescentou Fabíola, outra amiga.

— Não sou só eu, Fabíola. Conheço inúmeros delegados iguais, honestos, embora exista, sim, corrupção policial.

Não faltaram elogios. Não só nesta, em todas as festas. Eu era aclamado como um salvador, o honesto. Impressionante como as pessoas abominam a corrupção nos eventos sociais. Em qualquer evento com mais de três pessoas, ao saberem que eu era delegado, forçavam a conversa sobre os podres da polícia. Pareciam querer me humilhar, me incluir como parte de um sistema podre.

Por que será?

Eu não me defendia. Pelo contrário, partia para a conversa sincera, concordando com as verdades sobre a corrupção policial. Mas deixava bem claro que, apesar de o sistema estar corrompido, muitos policiais são honestos.

— Mas me respondam com sinceridade: se vocês, ou algum parente, praticarem algum crime, embriaguez ao volante, por exemplo, acharão correto que eu os mande para a cadeia, certo? Ficarão conformados quando eu prender seus filhos embriagados dirigindo perigosamente, traficando drogas na balada?

Admito que era inconveniente. Sempre a mesma pergunta e sempre os mesmos olhares, transversos. Fantástico assistir a uma sociedade que exige uma polícia honesta, mas desde que a lei seja aplicada para os outros. Na delegacia, a conversa é outra, correm para o advogado, sedentos pelo acerto para escapar da lei.

Por isso, às vezes eu nem explicava muito. Assim que era elogiado, ironizava, dizendo que curiosamente essa adoração mudava quando eu estava trabalhando. Na delegacia, a mesma sociedade me odiava.

Daniela estava acostumada com as situações constrangedoras que eu criava. Ela concordava comigo, vivenciava a hipocrisia de uma sociedade de faz de conta. Por isso incentivávamos um ao outro a continuar estudando.

As contas de uma casa eram altas para um delegado. Daniela trabalhava em uma empresa e ganhava o mesmo salário que eu, baixo. Além disso, talvez por ansiedade, Daniela fazia parte de uma boa parcela da população que perdia o controle do cartão de crédito. Depois de dois meses morando juntos, ela acumulara uma dívida alta no cartão, sem me avisar. Descobri, também, que quem vive junto não deve ter contas separadas, não adianta, a dívida de um cedo ou tarde atinge o outro. Eu era mais controlado e passei a gerenciar todas as despesas e receitas. Daniela aceitou em tom de agradecimento.

E mais um dia de plantão. Lá ia eu ouvindo rock, carregando a minha pequena mala cheia de livros jurídicos. Eu a levava a todos os plantões, para estudar. Não me lembro de tê-la aberto alguma vez. Era questão de honra passar a impressão de que estava estudando para concurso; embora não estivesse, admitir seria a derrota. Significaria aceitar viver para sempre dentro de um sistema que me fazia mal. Agradeço cada dia em que carreguei aquela pequena mala de livros, embora não os tenha lido à época.

As conversas jurídicas que surgiam no plantão também me faziam bem, me mantinham vivo, respirando no lamaçal do Campo Belo. Conversas que me fizeram conhecer melhor o sargento Pedro. Mais velho, prestes a se aposentar, logo se tornou um aliado. Ele dizia adorar Direito Penal e, de forma humilde, trazia as suas dúvidas. A parceria se formou após Pedro me confessar que a corrupção dos policiais militares daquele bairro também era intensa. Ele era correto, dizia não confiar na própria equipe. Por isso, mais de uma vez pediu para efetuar a prisão quando eu estivesse de plantão. Dizia confiar só em mim.

— Doutor, temos informações de uma quadrilha de estelionatários — contou-me confidencialmente. Posso efetuar a prisão no dia do seu plantão?

— Pode, sargento. Mas temos outras equipes boas aqui, não só a minha.

Era verdade. A equipe da delegada Marcela, por exemplo. Delegada honesta e comprometida, eu a rendia à noite, quando ela saía. Estudiosa, tornou-se juíza de direito. Enquanto esteve na polícia, trabalhou muito e com muita dedicação. Infelizmente, ou felizmente, ela ficou pouco tempo na polícia e não tinha a necessária malícia.

Mais de uma vez, presenciei-a liberando adolescente infrator do tráfico, nos termos da lei, ao representante legal. Os policiais adoravam e a advogada sempre estava na porta. Marcela nunca soube que estavam ganhando dinheiro em seu nome. Tentei alertá-la, mas foi peremptória:

— Não veja maldade em tudo, Rodrigo — respondeu, sorrindo.

Marcela mantêm a sua bondade, a sua honestidade e o seu grande coração até hoje.

De qualquer forma, o sargento Pedro deixava para efetuar suas prisões nos dias em que eu estava de plantão, sabia que os criminosos iriam para a cadeia. Ele se realizava, eu também. Fiz inúmeros flagrantes, prendi muita gente que ele trouxe, contrariando alguns policiais civis e militares.

Certo dia, Pedro prendeu a citada quadrilha de estelionatários e apresentou-me a ocorrência no plantão. Eram cinco presos, duas mulheres, com uma enormidade de documentos falsos, dinheiro falso, cartões de crédito clonados. Todos possuíam vasta folha de antecedentes, registros pelo mesmo crime, estelionato. Foi uma bonita prisão, mas dessa vez não saiu como planejado.

— Doutor, o delegado titular está avocando a ocorrência, será feita por ele lá em cima — e apontou para o primeiro andar, para a chefia.

Poucos minutos após a apresentação, antes que eu providenciasse qualquer registro de boletim, o chefe dos investigadores desceu ao plantão para levar os presos e tudo mais que envolvesse a ocorrência para o primeiro andar. O delegado titular usou a sua hierarquia para avocar a ocorrência, termo técnico para tirar a ocorrência das mãos do delegado de plantão e fazê-la em seu nome.

— Mas isso é um absurdo, doutor — desabafou Pedro, enquanto olhávamos, inertes, todos se dirigindo ao primeiro andar.

— Não posso fazer nada, sargento. O delegado titular tem esse poder, de avocar a ocorrência. Apresente os seus policiais no primeiro andar.

Pedro percebeu a minha frustração, mas nada podia ser feito. O titular decidiria sobre toda a ocorrência dentro dos ditames de direito administrativo. Tudo em nome dele. E, confesso, fiquei até agradecido. No final do plantão, o escrivão Tico, ligeiramente decepcionado, disse que a chefia estava em festa. A quadrilha de estelionatários era de grande porte, muito dinheiro rolaria por debaixo daquele inquérito. Eu nada podia fazer e, aliviado, apenas pensava que meu nome não estaria envolvido.

Assim era o 88º DP, tudo muito intenso, rápido e perigoso.

Um pouco mais de uma semana depois do caso dos estelionatários, policiais militares apresentaram dois suspeitos de terem praticado um roubo de veículo. Um deles, o que tinha feito a abordagem criminosa, havia sido reconhecido pela vítima. Com arma de fogo em punho, havia lhe subtraído o veículo. A vítima ligou rapidamente para a Polícia Militar e foi possível prender o roubador ainda dentro do veículo. Mas os policiais me apresentaram também um outro indivíduo, que estaria "dando o cavalo", ou seja, estaria em outro veículo dando cobertura ao roubador.

A vítima não reconheceu esse segundo indivíduo, nem viu algo que confirmasse a versão dos policiais militares.

— Doutor — explicou um dos policiais — é que no momento da abordagem vimos esse segundo ladrão perto dali e desconfiamos dele.

— O que mais temos para desconfiar dele?

— O problema é que lá é uma favela, e ele tem uma passagem por tráfico de droga.

Não demorou para eu decidir, sem avisar ninguém, é claro, que o segundo suspeito não seria preso. O registro pelo crime de tráfico não indicava qualquer envolvimento com o roubo. Mas algo inusitado aconteceu:

— Doutor! — Um rapaz novo, no máximo vinte e cinco anos, vestindo terno, me abordou no corredor. — Sou advogado do Cleverson, que foi apresentado pelos policiais junto com o ladrão de carro.

— Pois não, doutor, como posso ajudar?

O advogado fez um olhar suspeito, tentou segurar meu cotovelo como se fosse me puxar para um canto. Não permiti.

— Doutor, vamos conversar sobre isso, dar um jeito de...

— Doutor — aumentei o tom de voz —, é só aguardar!

Parecia mentira, seria aquilo um pesadelo? O pior é que não. Aquele novo advogado tentava se aproximar, evidentemente, para uma "conversa suspeita". Lembram-se do corpo que fala? Isso mesmo, ele tentando conversar sobre propina. Afastei-me imediatamente, revoltado. Cortei pela raiz a conversa pretendida, mas fiquei intrigado, o que ele poderia querer? Apesar de não ter anunciado a minha decisão, eu já tinha percebido que não havia elementos suficientes para prender o cliente dele.

Eu não estava entendendo nada. Enquanto pensava sobre o assunto no espaço destinado aos delegados de plantão, um policial militar que participava da ocorrência se aproximou, sentou-se na cadeia à minha frente sem pedir licença e disse em tom discreto:

— Doutor, o advogado do Cleverson disse que paga trinta mil reais para soltar o cliente dele.

— Você está me dizendo isso para dividir o dinheiro ou para prender o advogado?

Xeque-mate.

Eu nem conhecia aquele policial, e ele certamente não me conhecia. Sem pudor, veio com essa conversa sobre propina para soltar o suspeito. Até então, eu tinha aprendido que ningém se aproxima do delegado para oferecer dinheiro, abordam-se primeiro os policiais. Ninguém quer correr o risco de deparar com um delegado honesto e ser preso. Ou seja, eu não estava acostumado com aquele tipo de aproximação. Fui inundado por uma revolta, que sistema podre. Só de raiva, dei-lhe um xeque-mate, um *all in*, como se diz no pôquer. Em suma, coloquei o policial contra a parede. Mas após segundos intermináveis, temi por sua resposta e me adiantei:

— Eu não faço acerto — afirmei peremptoriamente.

— Claro, claro! — respondeu ele, gaguejando.

— Então fale para o advogado que aceitamos a oferta. Quando ele mostrar o dinheiro, pode colocar a algema e prendê-lo por corrupção. Vou mandá-lo para a cadeia.

O policial concordou e saiu rapidamente da minha frente. Em seguida, sentou o escrivão na mesma cadeira:

— Doutor, calma! Calma.

— Sai daqui, Tico, dessa vez não. O advogado tentou falar pessoalmente comigo, o policial militar não está inventando. Ele tentou me oferecer dinheiro, Tico, falei que pode prender o advogado.

— Doutor, calma, esse policial militar não é de confiança, conheço ele, deve ter acontecido alguma...

Tico se levantou e curvou o seu corpo, mostrando a palma das mãos para me acalmar.

— Tico, vou repetir, o advogado tentou me oferecer dinheiro.

— Pense com calma, doutor, acredite em mim — ponderou o escrivão.

Uma coisa é verdade, de um jeito ou de outro o escrivão é sempre o braço direito do delegado. Um bom escrivão é sempre valioso, independentemente da finalidade. Aprendemos isso cedo ou tarde. Tico tinha me dito que estava temeroso com o delegado anterior e que, mesmo sem ganhar dinheiro comigo na equipe, estava mais feliz, voltara a ter paz, sem medo de ser preso.

Eu sempre me aproximava dos escrivães. Como uma forma de segurança, temos de nos apoiar em algo, ainda que me lembre do ditado popular: "Para quem está afundando, jacaré é tronco".

Os minutos se passaram e, no meio daquela ocorrência bizarra, o policial militar não voltava com o advogado preso — um rapaz novo, não me parecia mal-intencionado, mas certamente tinha tentado falar sobre suborno comigo.

Tudo muito confuso, principalmente porque eu não via motivo algum para prender o cliente dele. Não havia motivo para prendê-lo. A raiva passou e a serenidade me fez refletir melhor, momento em que passava o policial militar pelo plantão lotado.

— Venha aqui — pedi a ele. O policial se aproximou. — Prendeu o advogado? Onde está o dinheiro?

— O advogado disse que o dinheiro não está aí, mas que...

— Vamos fazer o seguinte: QTA! — Esse é o código usado como sinônimo de "cancela". — Ele é um advogado e o cliente dele não ficará preso de qualquer jeito. Não quero mais esse assunto de dinheiro, ok? Vamos acabar logo com essa ocorrência.

— Claro, doutor — respondeu com voz trêmula.

Depois, fiquei sabendo que, enquanto eu falava com o policial militar, Tico abordou o advogado, levou-o para uma sala, sozinho, e deu-lhe uma bronca digna da que meus pais me davam quando eu era criança, daquelas que traumatizam. Tico contou que o rapaz quase desmaiou ao saber que estava na iminência de ser preso.

A bronca fez efeito. Enquanto eu terminava o boletim de ocorrência, prendendo o roubador e soltando o outro suspeito por falta de provas (o cliente daquele advogado), sua expressão pálida e trêmula demonstravam que ele tinha sentido o forte cheiro do cárcere. É inimaginável a sensação de proximidade da própria prisão. O advogado suava sem parar, apoiava-se com um dos braços no pequeno muro do plantão, aguardando o final da ocorrência.

Os policiais militares e a vítima foram embora. O roubador foi preso e o cliente, Cleverson, estava liberado. Após a tempestade, sentado em minha sala, vi o jovem advogado passando pelo corredor em direção à saída. De repente, eu o chamei:

— Doutor. Venha aqui, por gentileza — disse calmamente. Ele permaneceu em pé, ainda assustado. — Não costumo, mas vou te dizer uma coisa. Percebe-se a sua pouca idade. Cuidado com os plantões policiais, doutor. A polícia de hoje tem inúmeros policiais e delegados honestos, que não fazem qualquer tipo de acerto. Tomo essa liberdade porque o senhor veio com uma conversa estranha comigo, ninguém me contou. O senhor realmente poderia ter sido preso.

— Doutor — disse ele, mais calmo —, diante dessa sinceridade eu agradeço muito, e contarei o que aconteceu. — Respirou fundo e pôs-se a falar sem pausa: — Esse meu cliente não tem qualquer relação com roubo de carro. Ele é traficante, trabalha próximo do local onde foi detido. Aquele policial militar roubou a droga que estava com meu cliente na hora da prisão, por volta de cem papelotes de cocaína. Ele também disse que "teria conversa" aqui no plantão. Eu achei que todos nesta delegacia estavam juntos, me desculpe.

Eu fiquei surpreso, obviamente. Era a minha vez de ficar pálido. O policial havia furtado a droga do traficante e o conduzido até o plantão para fazer acerto com o advogado. Despedi-me rapidamente do advogado, que saiu quase fugindo. Era mais uma lição.

Esse tipo de problema eu não enfrentaria mais. Minha fama se espalhou rapidamente com ajuda do sargento Pedro e afastou os policiais militares que pretendiam fazer as suas correrias no plantão policial. Os torturantes aprendizados se intercalavam com plantões normais, ainda que abarrotados de pessoas e ocorrências, fases que me faziam lembrar de como era viver uma vida profissional normal.

Quinze dias depois da ocorrência do roubo de carro houve uma reunião com o delegado titular e os plantonistas. Reuniões entre delegados eram tão corriqueiras quanto inúteis. Mas especificamente nesta eu finalmente descobri por que tinha sido ripado do 36º DP, da Vila Mariana para o Campo Belo.

— Você sabe por que está aqui, não é, Rodrigo? — perguntou o delegado titular na frente dos demais.

— Parece que a minha equipe teve algum problema com o delegado anterior, por isso me colocaram aqui.

Em sua sala, com todos os delegados da delegacia, cinco no total, o delegado titular ficou surpreso e sem graça. Não esperava aquela resposta. De forma indireta, eu dissera publicamente sobre o acerto da equipe anterior, que havia deixado de repassar parte do dinheiro ao próprio delegado titular e ao seccional. Depois da fala, não havia o que fazer, fiquei um pouco sem graça também.

— Não — disse o titular ainda em tom de disfarce. — O seccional não gostou de saber que você foi na seccional sem terno. Lembra-se daquele dia que você foi lá para falar da ocorrência do ator?

Não respondi nada, mas lembrei. Aquela noite no 36º DP era inesquecível, mais de trinta horas sem dormir e, assim que finalmente me deitei em casa, me ligaram para comparecer imediatamente à seccional, me dispensando em seguida sem ter feito nada. Um desrespeito imensurável. O delegado seccional nem me atendeu, falei rapidamente com um assistente dele.

Uma escrivã do setor administrativo da 2ª Seccional, velha conhecida minha, depois me confirmou essa versão. Contou-me ter ouvido do delegado-assistente, naquela oportunidade, que eu era "uma bosta de delegado", pois tinha comparecido à seccional sem terno. Ela também ouviu: "Dá uma ripa para a equipe do Siqueira, damos uma lição nesse lixo" — eu, no caso — "e resolvemos aquele problema".

Na verdade, foi uma conjunção de fatores. Fui colocado naquela equipe do 88º DP porque, primeiro, queriam dar uma ripa no tal delegado Siqueira, que tinha chuveirado seus superiores. Depois, a minha fama de problemático chegou antes à zona sul, com o caso da fuga no 94º DP. Ao me encontrar sem terno, o arrogante delegado-assistente do seccional aproveitou para me colocar naquela equipe do 88º DP, uma espécie de punição para quem é honesto.

Não há como não se revoltar. Para o delegado, o problema era eu ter comparecido à seccional sem terno, depois de trinta horas acordado. Na concepção de um delegado-assistente, conhecido por ser o "tesoureiro" da seccional, esse era o conceito de "bosta de delegado".

Aliás, não demorou muito para eu conhecer o meu antecessor, delegado Siqueira. Por volta das vinte e duas horas de um dos primeiros plantões noturnos, entrou no plantão um homem baixo, acima do peso e com cabelo por cortar. Com olhar indômito, vestia calça jeans e sapatos visivelmente caros, apesar de eu não reconhecer a marca. Vestia uma camiseta com jeito de grife. Os investigadores, ao vê-lo, correram para cumprimentá-lo. Era o delegado Siqueira. Ele me mediu de cima a baixo, com um misto de raiva e desdém.

— Sabe quanto custa esta calça? — ironizou.

Eu entendi. Vi a viatura na porta. Ele estava de plantão naquele momento, tinha vindo da zona leste até o Campo Belo. Interessante, ele não usava terno no trabalho. Percebeu que reparei o fato de ele não trabalhar de terno e quis me humilhar.

— Não sei quanto custa, mas aposto que dá para comprar uns dez ternos iguais ao meu. — Segurei o paletó com os dedos. — Paguei noventa e nove reais.

Com o péssimo salário de um delegado, era o terno desconjuntado que eu podia adquirir. A dívida do cartão de crédito da Daniela ainda pesava.

— Isso mesmo — gargalhou, apontando a minha roupa. — Bom, vou tomar um café com meus amigos e já volto. — Siqueira abraçou um investigador e olhou para o outro, todos se dirigiram à saída da delegacia.

Nessa primeira vez não percebi, mas, depois da terceira vez que Siqueira veio da zona leste durante o plantão dele para sair com os investigadores da minha equipe, revelou-se que coisa boa não era. Antes que eu me convencesse, o escrivão Tico confirmou:

— Doutor, eles devem estar indo na boca da Emboabas, isso vai dar problema.

A boca da rua Emboabas era um ponto forte de tráfico de droga do bairro do Campo Belo. Tico contou que o Siqueira e os investigadores faziam campana em uma rua próxima, com binóculos, de onde conseguiam saber quais carros paravam para comprar drogas. Bairro nobre, miravam apenas os carros importados, classe média ou alta. Depois, abordavam os veículos certos e extorquiam dinheiro para não prender os usuários, dinheiro fácil e certo. Enquanto isso, Tico permanecia no plantão com o carcereiro, fazendo as ocorrências. Ganhava algum dinheiro por isso, mas pouco em comparação aos três que faziam o trabalho mais arriscado.

Angustiante, eu ali no meio daquilo. Imaginei o grupo sendo preso e eu de plantão, com o escrivão e o carcereiro. Como explicar que eu nada tinha a ver com o esquema? Alguém acreditaria? Não adianta correr dos problemas na polícia, eles caem no seu colo. Além disso, não os encarar significa incrementar o risco. Tomei uma decisão: na próxima visita do delegado Siqueira ao meu plantão, teria de abordá-lo e proibi-los de "sair para o café".

— Tenho mais medo se eles não estiverem na boca da Emboabas, doutor — acrescentou Tico, preocupado.

— Por quê?

— Esses caras são loucos, tiram dinheiro de cada lugar. Era comum trazerem pessoas presas, para depois achacá-las.

Sentia-me sufocado. Claro que eu chamaria a corregedoria se o Siqueira aparecesse com alguém preso nessa situação, mas imaginem o problemão que eu arrumaria. Às vezes, faziam a delegacia de cativeiro, exigindo dinheiro para soltar a pessoa. O problema é que esse fato era acobertado pelo manto da investigação, por uma polícia que supostamente trabalhava, como se estivessem em diligência.

Naquela noite, Siqueira nem entrou de volta no plantão. Deixou os investigadores na porta e voltou com sua calça jeans caríssima para o plantão da zona leste, a trinta quilômetros dali. Eu estava preparado para a briga em nosso próximo encontro. Que situação.

Poucos dias se passaram, eu estava em casa colocando meu terno surrado, enquanto Daniela preparava um macarrão ao sugo assistindo à televisão.

— Rodrigo, corre aqui! — gritou da cozinha enquanto eu me olhava no espelho, arrumando a gravata.

— Nossa, o que foi? — perguntei, me aproximando com a gravata solta nas mãos.

— Não é Siqueira o nome do delegado sobre quem você comentou?

— É — interrompi. — Vou discutir com ele hoje, já estou passando mal.

— Não vai brigar com ele, não — sorriu, nervosa.

— Eu vou, Daniela, você não entende. Eu não posso...

— Não vai! Olha! Olha! — e apontou a televisão. — Presta atenção!

Ficamos em silêncio. A voz do jornalista invadiu a cozinha. Parecia mentira o teor da matéria: "Acabou de ser preso o delegado Siqueira, preso em flagrante extorquindo empresários na zona norte da cidade de São Paulo em companhia de outros policiais".

Na noite em que eu brigaria com Siqueira, para que não viesse mais ao meu plantão, ele foi preso em flagrante com outros dois policiais extorquindo dinheiro em seu dia de folga. Não eram os mesmos investigadores que trabalhavam na minha equipe, e só por isso eles também não foram presos.

Fizemos o plantão em clima de velório, sem conversa sobre o assunto. Às vezes, Tico me olhava esperando alguma reação. Não falei nada. Não sei dizer o porquê, mas também estava chateado com a situação. Nunca desejei a prisão de Siqueira, queria apenas trabalhar em paz, eu precisava daquele emprego.

O azar e a sorte sempre juntos, sorrindo levemente para mim.

Na mesma semana, depois de seis meses que pareceram seis anos, fui transferido. Nunca imaginei que ficaria feliz em ser transferido do bairro onde eu morava para a delegacia situada na maior favela de São Paulo, Heliópolis.

CAPÍTULO 11

61º DP: "Tráfico ou porte? Convencimento jurídico?"

Situada na rua Comandante Taylor, dentro da maior favela de São Paulo, a delegacia de Heliópolis é famosa dentro da polícia. Quando foi construída, na década de noventa, atendia a uma infinidade de casos de homicídio. Distrito sem estrutura, sempre foi tratada como de segunda classe, em todos os sentidos. Com uma população de baixa renda ao redor, o plantão não recebe as mesmas ocorrências que as delegacias de bairros nobres.

Foi nesse contexto que me apresentei no 61º DP. Embora a chefia existisse nos mesmos moldes das demais, pelo menos havia menos tensão em relação às pessoas importantes que lá apareciam. Não apareciam. Com o fim do plano da diretoria de "todos na chefia", ou seja, com as equipes plantonistas tradicionais de volta, podíamos trabalhar com tranquilidade enquanto investigadores e delegado titular da chefia mantinham as suas investigações escusas. Essa diferença clara me ajudava, a lei implícita do "cada um na sua".

Foi no 61º DP que conheci o meu fiel escudeiro, o escrivão Fábio. Ninguém queria trabalhar com ele. Rapaz novo, genioso e com fama de bocudo, não deixava passar nenhuma de suas observações ácidas. Se necessário fosse, apontava o dedo para os investigadores da chefia, dizendo em voz alta que, ao contrário deles, estava ali apenas trabalhando, sem achacar ninguém. Fábio era honesto, estudava para o concurso de delegado de polícia. Logo se tornou meu amigo, um se apoiava no outro contra aquele sistema bruto, capaz de moer qualquer um, independentemente de culpa. Éramos testemunhas um do outro. Sentia-me mais seguro com ele por perto.

Passei a trabalhar com um ótimo investigador de polícia cujo apelido era Gaúcho. Homem honrado, tinha feito duas faculdades e mais de duas pós-graduações. Acabou se adequando aos plantões policiais e se acomodando na polícia, embora até formação de jornalista ele possuísse.

Aquela era a melhor equipe com que trabalhei. Ia tranquilo para casa, tempo para pensar na dívida do cartão de crédito da Daniela. Até aquele momento, embora tivesse trabalhado com policiais honestos, eu não havia feito parte de uma equipe composta por pessoas como Fábio e Gaúcho. Poderia colocar a mão no fogo por ambos.

É muito mais fácil trabalhar assim, com os policiais ao seu lado. Por outro lado, os investigadores da chefia eram exageradamente corruptos. Apesar de não recebermos ocorrências "filé *mignon*" como no 88º DP, descobri rapidamente que o tráfico de drogas era fortíssimo em Heliópolis. Dizem que a droga de lá é uma das mais puras e viciados vêm de toda parte para buscá-la. A delegacia se mantinha em função do tráfico, que gerava grande quantidade de dinheiro.

E os delegados? Honestos em sua maioria, mas os postos de comando chefiados por corruptos. Éramos cinco delegados de plantão e um delegado titular. Apenas o titular e um dos plantonistas eram corruptos, ou seja, quatro contra dois. Essa maioria, entretanto, não era capaz de vencer o esquema vigente, pois os investigadores da chefia viviam de acertos sob o manto do titular, muitas vezes em conluio com alguns policiais militares, o que transformava o 61º DP em um lugar de extrema corrupção. A mim, com o Fábio e o Gaúcho, cabia apenas não me envolver.

Ao contrário dos seis intermináveis meses no Campo Belo, passei mais de um ano despercebido no bairro de Heliópolis. Assistíamos de camarote, sem nada poder fazer, à movimentação de investigadores e suspeitos, passando pelo plantão para o primeiro andar. Outro ponto interessante é que começamos a gostar daqueles que nos respeitavam, apenas por não nos envolverem em corrupção. Por isso eu gostava do doutor Anderson, delegado titular. Ele me respeitava, fazia de conta que era honesto e mandava os investigadores não apresentarem ocorrências "de dinheiro" no plantão. Os casos da chefia lá eram registrados no primeiro andar e em nome dele.

Com relação à cadeia, tive sorte. A do 61º DP havia sido desativada recentemente, o que melhorava as condições de trabalho. Por outro lado, a falta abrupta dos presos e os restos de comida deixados para trás faziam com que ratazanas desesperadas corressem pelo prédio à luz do dia. Famílias inteiras desses roedores procuravam por comida sem medo.

Os delegados de plantão, exceto um, queriam apenas trabalhar e ganhar seus modestos salários. Um deles era crente fervoroso, não admitia coisa errada em seu plantão. Mais de uma vez, eu o encontrei abraçando fortemente mendigos na sala dos delegados, orando no sofá em que descansávamos nas madrugadas. Gesto nobre, invejável, mas que deixava a sala impregnada de sujeira e com cheiro insuportável. Eram degradantes as condições daquelas pessoas, em situação de rua, muitas viciadas em *crack*, mas admito que insistia para que ele fizesse as orações em outra sala.

Acostumei-me a tomar cuidado com as palavras dirigidas ao escrivão Fábio. Sua revolta com a corrupção rotineira poderia fazê-lo vomitar um insulto contra qualquer um, inclusive contra mim. Por isso, alguns delegados, ainda que corretos, não gostavam de trabalhar com ele. Eu gostava muito, o compreendia. O cuidado para não ofendê-lo era o menor dos meus problemas. Tenho saudades do Fábio, gostaria de trabalhar com ele até hoje, um ótimo profissional.

Era perceptível o seu orgulho em trabalhar comigo, empinava o nariz e falava grosso no plantão com quem quer que fosse. Fábio sabia que eu tratava todos iguais, uma realização para ele. Conversávamos muito, contei-lhe todas as minhas histórias, do guardador de carro que pagava propina ao chefe dos investigadores, em São Miguel Paulista, às recentes ocorrências do Campo Belo.

Mas, enquanto eu vivia essa boa fase, isolado no plantão de Heliópolis com a minha equipe, Luiz vivia seus maus momentos na delegacia do Carrão, no 94º DP.

Conheci Luiz antes de ingressar na carreira policial, no cursinho preparatório. Originário da cidade de Bauru, no interior paulista, era focado e passou para delegado de polícia em um concurso depois do meu. Idealista, acreditava que faria a diferença.

Não conseguiu.

A personalidade de uma delegacia é resultante da soma das pessoas que lá trabalham. Assim, a variável é grande de um distrito ao outro, com relação à corrupção. Luiz tinha a ideia inicial de prestar concurso para a magistratura. Aprovado no concurso para delegado de polícia, gostou da carreira, sentiu o poder do cargo de aplicar a lei com igualdade, mas foi surpreendido por um sistema de corrupção.

Tocou o telefone, por volta das dez da noite, era ele:

— Rodrigo, eu não aguento mais! Eu não aguento mais!

Revoltado e com a voz nitidamente alterada, parecia sucumbir. Não era a primeira vez que ele prometia pedir exoneração. Conversávamos muito nas nossas folgas e ele sempre reclamava, dizia que ia embora, voltaria para a sua cidade.

— Estou sentado na porta da delegacia, não posso assistir a isso — disse ele.

— O que aconteceu agora, Luiz?

Tive a impressão de que ele colocou a mão no bocal do telefone celular para abafar a voz e conseguir desabafar o que testemunhava, impotente.

— Trouxeram uma ocorrência, apreensão de camisetas falsificadas da marca Diesel, quinhentas camisetas. Parece que vendiam por no máximo trinta reais. — Pausou para respirar fundo. — São falsificadas!

— E daí?

— Neste momento, *neste exato momento* estou vendo duas delegadas no chão sujo da delegacia, estão agachadas ao lado de dois investigadores, todos desviando, furtando algumas camisetas do monte.

— Que absurdo — disse para apoiá-lo. Àquela altura, nada me surpreendia.

— São falsificadas! São falsificadas! Umas porcarias, Rodrigo. Não me conformo, como essas delegadas se prestam a isso. Vou ficar fora do prédio enquanto elas se apropriam das camisetas, não quero mais assistir a isso.

Eu entendo o Luiz. Corrupção é corrupção, mas é demasiadamente aviltante uma cena dessas, como roubar pirulito de uma criança ou agredir um idoso. Se é errado subtrair qualquer objeto, imagine ficar de quatro no chão de uma delegacia, como um rato em volta do queijo, fuçando camisetas de péssima qualidade, falsificadas, para se apropriar de algumas. É o fim da dignidade, a extrema prostituição moral.

Depois de um ano ensaiando, submetido aos problemas da polícia, aquela noite deve ter sido a gota d'água para Luiz. Sou testemunha de sua luta por uma polícia melhor e pela defesa dos delegados de polícia. Mas o sistema o venceu.

Naquela semana, Luiz foi notificado para se defender na corregedoria, isso porque a equipe anterior tinha atrasado o atendimento de uma ocorrência. O delegado da corregedoria entendeu por bem culpar os dois, o delegado anterior e o Luiz. Simples assim.

— Eu? Me defender? — questionava Luiz. — Enquanto assisto à roubalheira desenfreada da chefia e ninguém faz nada? Para mim, acabou! — decidiu.

É difícil assistir diariamente à corrupção policial, todo tipo de ilegalidade, escondendo-se dos perigos, rezando para não ser preso injustamente, tudo isso sem que a corregedoria ou outro órgão tome qualquer providência. Mas pelo atraso de uma ocorrência — atraso do qual você não teve culpa —, é notificado para se defender.

Luiz pediu exoneração no dia seguinte.

— Rodrigo, um delegado-assistente do delegado geral quis conversar comigo, acredita? — perguntou ele, indignado, depois da sua saída da polícia.

— Conversar o quê? — questionei.

— Pediu para eu não me exonerar. Em que mundo esse cara vive? — desabafou.

— E você disse o quê?

— Foi o meu melhor momento na polícia, o último — contou, sorridente. — Eu disse que a polícia não merecia um delegado como eu, que atrasa uma ocorrência. Agora que estou indo embora, está tudo resolvido para a polícia.

Mais uma perda. Luiz voltou para a sua cidade natal e passou a trabalhar na empresa da família, onde sempre pôde ter ganhado mais do que como delegado. Eu não tinha a mesma sorte, precisava do emprego, não queria voltar a ser dependente financeiramente da minha família. Pelo menos estava em uma fase aparentemente segura, com uma ótima equipe: meu investigador, o Gaúcho, e meu braço direito, o Fábio.

O cargo de delegado de polícia parece não ser bem compreendido pela sociedade em geral. Cabe a quem ocupa esse cargo uma das mais importantes decisões, a de prender ou não alguém. Salvas as prisões militares, no nosso país só duas pessoas podem prender: o delegado de polícia e o juiz de direito. Há outras atribuições e poderes importantes, como o de apreender objetos, mas este é comum a vários tipos de fiscais. O encarceramento é algo que só cabe ao juiz e aos delegados, em caso de flagrante delito.

Ao apresentar uma ocorrência, o policial, ou mesmo um cidadão comum, apresenta a pessoa detida, algemada, amarrada, enfim, impedida de escapar. Atribui-se ao delegado o poder de analisar o fato juridicamente. Ele decide se essa pessoa será presa ou solta — em outras palavras, se fará ou não a prisão em flagrante. Esse importantíssimo poder é menosprezado pelos próprios delegados. Além da corrupção, são comuns a ingerência política sobre essa decisão, a pressão e, claro, a ripa posterior. O descrédito da classe acaba prejudicando a própria população, que questiona um delegado que deliberou pela não elaboração da prisão.

O que dizer, então, de um delegado que aceita vantagem indevida para prender ou deixar de prender alguém? É a quebra do sistema. Na verdade, a decisão do delegado está inserida em um campo protegido, denominado "convencimento jurídico", um núcleo sensível que deve ser respeitado, no fundo o mais puro exercício de poder do Estado. Não se pode jamais negociar esse poder, pois coloca-se em dúvida o próprio Estado.

Por isso costumo dizer que é menos grave um delegado assaltar um banco do que ganhar dinheiro para deixar de prender alguém. O roubo é identificável, é um crime praticado por qualquer pessoa. Já a venda de poder, não. É grave, problemática, atinge o próprio Estado, que não pode se defender de seus agentes.

Os poderes são organizados e distribuídos em uma sociedade. Por exemplo, só os médicos podem atestar a morte de alguém, a sua causa. Só um engenheiro pode afirmar se um prédio desaba ou não. Precisamos desse sistema para viver em harmonia social, um sistema benéfico de presunções.

A sociedade que se alimenta da corrupção é a maior vítima dela.

Era uma tarde normal de domingo. Como de costume, eu estava jogando xadrez com o Gaúcho. Fábio assistia à televisão, imprescindível em um plantão policial nos momentos de calmaria. Por volta das dezessete horas, policiais apresentaram dois engenheiros recém-formados. Em uma abordagem normal de veículos, os policiais surpreenderam ambos portando droga, mais precisamente maconha. Cada um portava um pequeno tijolo de aproximadamente cinquenta gramas.

Igual a todas as demais ocorrências apresentadas ao delegado de polícia, eu deveria dizer que crime era aquele. O problema com relação à maconha é que, se minha decisão fosse pelo crime de tráfico de drogas, ambos seriam presos em flagrante imediatamente, crime grave equiparado a hediondo. Cárcere imediato. A outra opção era o crime de porte de drogas, punível com uma simples advertência. Ambos seriam soltos.

Com pesar reconheço existir quem venda essa decisão — o registro pelo crime de porte — para soltar o indivíduo.

A delegacia estava vazia, era domingo. Não havia chefia trabalhando, apenas a minha equipe de plantão. Com relação ao meu convencimento jurídico, estava propenso a decidir que o caso se tratava de porte de drogas. Embora a quantidade fosse superior à mínima para uma pessoa ser considerada apenas usuária, esse não deve ser o único critério. Eram engenheiros e estavam viajando para a praia, dois surfistas e suas maconhas. Passaram na favela de Heliópolis, cada um comprou a sua droga, mas foram abordados pelos policiais.

Ambos seriam soltos e responderiam por crime de menor potencial ofensivo. Eu estava decidido e tranquilo, confiava na minha equipe e estávamos apenas nós, ninguém pediria dinheiro em meu nome ao saber da minha decisão. Nesse momento, Fábio entrou na minha sala com um sorriso irônico:

— Doutor, acabou de chegar o advogado dos engenheiros, disse que tem sessenta mil reais na mão para que o senhor faça apenas porte de droga, e não tráfico.

— Manda trazer o dinheiro, depois já sabe o que fazer — respondi imediatamente.

Fábio deu risada, ele me conhecia. Ninguém oferece propina e depois confessa, eu precisaria do dinheiro para prender o advogado em flagrante. Mas Fábio tinha bom coração, embora sempre carrancudo.

— Ele me abordou na porta da delegacia — disse o escrivão, ainda sorrindo. — Já foi embora, doutor. Eu avisei que se o senhor soubesse da proposta prenderia ele na mesma hora. Foi embora assustado.

Fábio tinha prazer em situações como essa, confesso que eu também. Ser honesto é caro, mas vale a pena, nos dá uma sensação boa demais. Fábio me acompanhava e aproveitava o gostinho. Outras equipes nos chamariam de idiotas por não termos aproveitado aquela "oportunidade".

— Posso começar a ocorrência, doutor? O senhor já decidiu?

— Pode começar o boletim, ambos estão presos por tráfico de drogas — afirmei.

E assim foi feito. Convenhamos, os engenheiros foram para cadeia graças à corrupção, foram vítimas dela. Eu estava tendente a fazer apenas o porte de drogas, seriam soltos. Mas era um caso limítrofe e poderia me dar problema. Primeiro, porque se não fizesse a prisão, embora fosse a minha convicção, alguém poderia achar que eu havia me vendido. Depois, eu sabia que alguns policiais da chefia tentariam achacá-los de alguma maneira no dia seguinte. Não é sempre que se apresenta esse tipo de preso, de classe média alta, no plantão do Heliópolis. O caso era um peixe grande para acerto, incomum naquele distrito.

A história rapidamente se espalhou, a ponto de o investigador da única equipe plantonista corrupta me abordar no corredor:

— Poxa, doutor Rodrigo, deixasse a ocorrência pra gente.

A equipe deles entraria no turno posterior ao meu.

— Como assim? A ocorrência foi apresentada no meu plantão. Aliás, preferia que não tivesse vindo, bem no meu dia — lamentei.

— Então, doutor, está todo mundo te xingando, perder uma oportunidade dessas? Que absurdo! Poderia ter deixado para a nossa equipe fazer — e saiu esbravejando.

Eu estava satisfeito por ele "ter perdido a oportunidade". Um acerto de sessenta mil reais. Naquela noite, como de costume, entrei em casa cansado, com meu terno barato e desconjuntado, segurando a minha pequena mala de livros à mão direita. Mas dessa vez fiz diferente. Antes de subir ao quarto para tirar a roupa, fui até a cozinha, onde estava a Daniela, me esperando para o jantar.

— Daniela, o que faríamos com sessenta mil reais? — Coloquei a mala em cima da mesa com força, fazendo um barulho suspeito, como se ela estivesse cheia de dinheiro.

Daniela olhou a mala e me olhou diretamente nos olhos, transformando-se rapidamente:

— Você não faria isso — murmurou, inconformada.

— Me responda, o que podemos fazer com sessenta mil reais? Quero que você diga.

— Com dinheiro maldito não fazemos nada! — gritou, enquanto tentava me empurrar para olhar a mala.

Não consegui segurá-la. Ela acabou abrindo a pequena mala, onde havia apenas livros. Enquanto ela se acalmava, eu contei sobre a ocorrência, que eu poderia ter trazido essa quantia para casa. Fiz questão de assustá-la. Com mais calma, conversamos muito, de certa forma aquela quantia resolveria a nossa vida.

— Você tem razão, Rodrigo, a gente só tem certeza sobre a nossa honestidade quando a oportunidade aparece. Fico feliz por você ter tomado a decisão correta, sem pestanejar. Nunca passei por isso, agora me sinto realmente honesta. Como você diz: é caro, mas é bom. — e sorriu.

É verdade, é fácil se dizer honesto sem ter tido uma oportunidade real de ganhar dinheiro ilícito. Carrego com orgulho esse dia em minha memória. Pagamos a dívida do cartão devagar, mas de cabeça erguida e sem dever nada a ninguém. Só ao banco.

No outro dia os dois jovens engenheiros não foram para o sistema prisional, acabaram transferidos para uma cela VIP na delegacia do Jabaquara, no 35º DP. Os dois ficaram separados dos demais presos, ao custo de mil reais por dia, segundo disseram.

Não sei se o Anderson, delegado titular, se ofendeu de alguma maneira com a minha conduta. Digo isso porque ele não tinha o costume de me passar ocorrências até então, fazia tudo em seu nome.

Poucos dias depois do flagrante dos engenheiros, Anderson me chamou em sua sala, no primeiro andar. Assim que eu entrei, estavam o chefe dos investigadores mais dois policiais e uma pilha de caixas de aparelho celular. Fábio se pôs ao meu lado. Assim que entrei na sala, meus olhos automaticamente se voltaram para os incontáveis aparelhos:

— Rodrigo — disse Anderson —, os investigadores te apresentarão essa ocorrência. Dois indivíduos estavam em posse desses aparelhos sem procedência. Já avisei que a decisão sobre o que fazer é sua, não me intrometo.

— Farei flagrante, doutor.

— Pois bem, os dois suspeitos já estão na carceragem.

Anderson puxou as calças para arrumá-la, virou-se para o chefe dos investigadores, apontou para mim e disse:

— Esse é o melhor delegado desta delegacia — então colocou uma mão em meu ombro.

— Todo mundo sabe disso, doutor Anderson — complementou o chefe dos investigadores.

Anderson sabia que eu faria flagrante, e eu sabia que algum acerto tinha acontecido.

Mas só quem vive na instituição entende: não há o que se fazer. A negociação aconteceu antes da minha chegada, obviamente. Quem disse que eram apenas dois ladrões de celulares? Provavelmente, estavam me apresentando os dois mais tontos, os peixinhos da quadrilha. O chefão certamente estava longe dali. Claro, tudo isso não se pode provar, e segue a vida.

Fábio, já carrancudo, ficou mais emburrado, sabia que estávamos sendo usados. Em tom agressivo, perguntou:

— Quantos celulares tem aí? — apontou a pilha de caixas.

— Tem quatrocentos e vinte e oito aparelhos, Fábio — respondeu o chefe dos investigadores, enchouriçado e sorridente.

Fábio se ajoelhou e começou a contar compulsivamente as caixas. Eu o interrompi imediatamente:

— Pare, Fábio! Se o chefe dos investigadores disse que tem esse número é porque tem, nem precisa contar, eu confio na chefia. — Puxei Fábio pelo braço. — Vamos descer para começar logo a prisão.

Fábio não entendeu bem, foi tudo meio rápido. Por respeito a ele fui até a sala dos delegados, no térreo, com Fábio me seguindo. Assim que entramos, eu fechei a porta:

— Fábio, você acredita que eles desviaram aparelhos?

— Claro!

— Eu tenho certeza, mas obviamente antes de nos chamarem na sala. Aposto quanto você quiser que naquela pilha tem o número exato de aparelhos, quer apostar?

Fábio entendeu: parte dos aparelhos tinha sido desviada antes de nos apresentarem a ocorrência. Eles não deixariam esse rastro amador. Quando chegou ao plantão, o representante da marca dos aparelhos celulares roubados nos agradeceu muito pelo trabalho da polícia. Após a contagem, o número era exatamente o que nos tinham passado.

Menos da metade. O representante nos forneceu o número certo dos celulares roubados: pouco mais de oitocentos aparelhos. Os receptadores foram presos com o caminhão fechado, não tiveram tempo nem para desviar parte da carga.

O tempo faz com que nos habituemos a isso; me acostumei a ser usado, receber só parte da história, a que interessava para justificar a ocorrência. Como os próprios policiais diziam, precisavam "esquentar alguma coisa". Significa dizer que eles não poderiam se apropriar de toda a carga, mandando a quadrilha embora, seria muito arriscado.

Prendem-se os menos importantes e, nos dizeres deles, "todos ficam felizes". Vítima feliz com o trabalho da polícia, Ministério Público, Poder Judiciário, até a seguradora, que teve um prejuízo menor. Inclusive eles, os policiais, todos felizes.

Quem perde? Quem sofre é a sociedade, que não reclama, não sente as consequências desses atos porque não toma tiro de delinquente solto indevidamente pela polícia. Essa distância entre a vítima da corrupção e os corruptos é um dos principais problemas para combatê-la.

Nossa sociedade está acostumada a gostar do "jeitinho", da corrupção. Os que mais reclamam são os primeiros a tentar burlar as leis. O mecanismo não para e o fundo do poço não chega. Apenas a consciência de que a coletividade é a maior prejudicada pela corrupção indicará um caminho melhor.

Não demorou uma semana para os investigadores da chefia desfilarem no plantão. Faziam questão de me cumprimentar ostentando três aparelhos celulares presos no cinto. Por coincidência, eram modelos idênticos aos que eu havia apreendido naquele flagrante. Nada tinha a ser feito.

Percebo que a minha honestidade incomodava os mais correria, eles tinham raiva de mim. Essa é a maior reclamação que eu tenho da minha carreira como delegado. Eu lutava apenas pelo meu direito de ser honesto, de trabalhar, de não ser envolvido nas ocorrências de acerto. Mas ser respeitado não é a regra do jogo. Independentemente de quem registra a ocorrência, se vislumbrarem a possibilidade de algum acerto, tentarão fazê-lo.

O pior, e mais preocupante, é que no meio de toda essa corrupção presume-se que todos são farinha do mesmo saco. Enxergam a polícia de modo generalizado, atribuindo a todos a pecha injusta de corruptos.

Certa vez fui obrigado a receber um promotor de justiça em um plantão qualquer. Baixo, de pele esbranquiçada, vestia um terno impecável. Seu relógio de ouro — parecia-me ouro — reluzia, até a gravata chamava a atenção. Recebi-o com o tratamento protocolar devido, claro, mas mal me olhou diretamente. Ao lado de um funcionário seu, disse:

— Boa tarde, quero vistoriar a carceragem.

— Pois não, doutor. Não temos presos aqui, a cadeia foi desativada há alguns meses, mas neste momento temos duas presas na pequena cela que sobrou. Estão esperando vaga para serem transferidas.

— Vou falar com elas, então — e seguiu o corredor até o fundo do prédio.

Por gestos, mandei o Gaúcho acompanhá-lo, pois não tinha tempo de segui-lo. Não demorou dez minutos para o promotor voltar da carceragem sem proferir uma palavra. Passou pelo plantão lendo as suas anotações e foi embora. Sequer se despediu. Era a personificação do preconceito. Olhou-me como se estivesse diante de um bandido.

Gaúcho voltou da cela, parou do meu lado ainda sem entender o que acontecera ali. As duas encarceradas eram bem tratadas por nós. Presas por furto, sem qualquer periculosidade, haviam contado as suas vidas ao Gaúcho dias antes.

— O senhor não vai acreditar, doutor — pontuou Gaúcho ainda olhando o veículo da autoridade se afastar. Assim que me virei para ele, continuou: — O promotor fez questão de ficar sozinho com uma presa, ela me contou o que aconteceu. Disse que ele a entrevistou e anotou tudo em um papel, ficou perguntando se algum de nós pedia dinheiro para ela.

— Dinheiro?

— Isso mesmo — continuou, sem graça. — A presa disse que o promotor foi categórico: "Esse delegado, ou qualquer outro, já te pediu dinheiro?".

Até hoje me pergunto: dinheiro? Como assim pedir dinheiro? Por que eu pediria dinheiro para a presa? Tenho a sensação de que alguns promotores, espero estar errado, desconhecem o mundo policial.

Não importa o número de delegados corretos, o problema é o sistema, a chefia. Deve-se separar o joio do trigo.

Fico imaginando se a presa resolvesse me prejudicar. E se ela dissesse que eu pedi dinheiro pra ela? No mínimo, um procedimento por corrupção seria instaurado contra mim. Pronto. Simples assim.

Nada mais interessava, pura presunção de culpa, presunção de ser corrupto. Claro que essa suspeita nos revolta — e nos preocupa —, mas é fruto de todo o sistema podre da polícia. O pior é que dentro da instituição não sentimos um combate a essa corrupção. O plantonista sente apenas uma caça às bruxas: Ministério Público e a corregedoria atirando para todo lado.

Não sei ao certo qual seria a solução. Aprendi que os poucos que se insurgem contra o sistema são rapidamente decapitados. Não é esse o caminho. Talvez maior consciência da perniciosidade da corrupção. Quem poderia imaginar, naquela época, uma Operação Lava Jato...

Sinto-me orgulhoso de fazer parte daqueles que acreditam no que é certo, mas vi que é problemático ser ético e legalista nas delegacias de São Paulo. É cansativo, desgastante se manter no caminho correto — pior, muito arriscado.

Por isso não me esqueço de um delegado com traços de ascendência alemã que chegou ao 61º DP para trabalhar como assistente do Anderson. Sempre bem arrumado, rapaz mais novo do que eu, chegou com fama de correria. Conheci delegados mais antigos que não conseguiam esconder o desconhecimento jurídico. Juliano, não. Era preparado, um bom profissional. Trabalhador, de conversa boa, não parecia estar inserido no submundo da polícia. Eu lhe causava certo incômodo, justamente por ser preparado em Direito Penal, assim como ele, e ter uma postura correta.

Em pouco tempo na delegacia, Juliano me convidou para um almoço descompromissado, em um restaurante próximo ao DP, no bairro do Ipiranga.

— Sabe, Rodrigo, vou ser sincero, vou esclarecer as suas dúvidas — iniciou.

— Que dúvidas? Não tenho nenhuma.

A inteligência dele era aparente, captou que eu não o considerava como os demais. Eu tinha dúvidas, sim, não conseguia vê-lo como um corrupto.

— A minha história é simples. Fiz três anos de cursinho, só prestava magistratura e Ministério Público, nem sonhava em ser delegado de polícia. Só Deus sabe o quanto eu estudei.

— Nem me fale, concurso público é uma loucura.

— Pois é, depois de três anos, acabei prestando concurso para delegado de polícia, concurso difícil também, e fui aprovado. — Ele transmitia paz em seu olhar. Parecia inserido em um mundo que lhe pertencia.

— Difícil mesmo — concordei para dar continuidade à sua fala.

— Minha família é de gente honesta, Rodrigo. Meus pais, meus irmãos. Cresci assim. Eu cheguei até o exame oral do Ministério Público, sabia?

O exame oral é a última fase de um concurso desse tipo, difícil demais. Quem chega a essa fase é porque está muito preparado.

— Então — continuou —, você sabe o que um honesto passa na polícia?

— Sei bem.

— Cheguei causando problemas, brigando com todo mundo, com os investigadores da chefia, com o delegado titular. O que eu ganhei? Um bonde para o outro lado da cidade. Fui parar no fundão da zona leste, 54º DP, mas continuei brigando, querendo tudo certinho. Quanto mais eu exigia, mais eu me ferrava. Passei a ser odiado.

Eu não sabia que ele tinha levado uma ripa para o 54º DP. Dizem que, se não for a pior, é uma das piores delegacias de São Paulo para se trabalhar. A delegacia de São Miguel, meu primeiro bonde, poderia ser considerada um paraíso perto da de Cidade Tiradentes.

— Eu tentei, Rodrigo, juro que tentei. — Respirou fundo. — Mas quando instauraram uma sindicância contra mim, totalmente injusta, acabei sucumbindo. Concurso nunca mais, você sabe. Me defendi sozinho naquela sindicância absurda, não tinha amigos, pelo contrário.

— Que sindicância?

— Quer mesmo saber? — sorriu.

— Não precisa contar, acredito em você.

— Sucumbi. Pulei de cabeça no sistema, me sinto livre agora. Estou cheio de amigos, sou delegado-assistente, não preciso mais trabalhar a noite inteira, madrugadas acordado.

Um ponto de vista a ser examinado.

— E eu ainda ganho dinheiro. Errado? Eu sei que é, pelo menos estou guardando algum para pagar um advogado.

— Não é fácil — desabafei, suspirando.

— Vamos ver até quando você vai aguentar — brincou, dando um tapa em minhas costas. Eu me senti protegido.

Inesquecível essa conversa. Foi inteiramente verdadeira. Se o ouvisse no início da minha carreira, eu o chamaria de covarde, de bandido ou sei lá do quê. No começo, eu não acreditaria nele. Mas depois de tantos anos nessa guerra, batalha por batalha, sei da dificuldade que é sobreviver na polícia. Eu vivia estressado, sofrendo e presenciando baixas desde o começo da minha carreira. Tinha a insônia como companheira e uma gastrite me perseguindo.

Basta alguns anos nesse mundo para entendermos que ser honesto é mais arriscado do que entrar no sistema, ainda mais se você for um corrupto que se limita a jogar o jogo, que não faz loucura, um "corrupto *ligth*". Não tive coragem de perguntar novamente sobre a sindicância, mas certamente Juliano foi punido injustamente, por alguma bobagem, um atraso de ocorrência, ou simplesmente porque desagradou a algum delegado seccional.

Depois de aceitar as regras como lhe foram impostas, Juliano foi promovido, elogiado oficialmente, mesmo porque era bom delegado, seu defeito era aceitar dinheiro, participar de acertos nos inquéritos policiais.

Depois dessa conversa franca, passei a respeitá-lo. Era como se, em nossa guerra, ele tivesse abandonado a Convenção de Viena. Desrespeitava os limites e praticava crimes de guerra, mas pelo menos o fazia com clareza e após ter lutado contra esse destino. Não concordo com a sua conduta, mas o respeito até hoje. Acredito que ele me respeitava também, embora não acreditasse em minha sobrevivência. O tempo daria a resposta a nós dois. Embora na mesma luta, os pelotões são diversos. Eu não deixava de ser uma pedra no sapato, um entrave, um defeito daquele sistema. Não era de se esperar a prevalência da harmonia.

CAPÍTULO 12

"Eles precisavam esquentar a ocorrência"

Em um plantão de domingo, muito tranquilo, mais uma vez eu jogava xadrez com o meu investigador, o Gaúcho, dois amadores apaixonados pelo tabuleiro. Apenas a minha equipe no prédio, como devia ser em todos os finais de semana. Depois de ganhar mais uma partida, avisei ao Fábio que sairia para o almoço. Fui tranquilamente ao shopping mais próximo, celular a postos.

Utilizava apenas o meu veículo particular, evitava usar a viatura do plantão. Ouvi mais de uma vez que usar a viatura para ir almoçar seria improbidade. Uma equipe de plantão não pode almoçar? Discordo, mas já tinha problemas suficientes.

O dia estava bonito e voltei depois de quase uma hora para a delegacia, é bom almoçar tranquilamente às vezes. Passei pelo plantão e não percebi que Fábio estava contrariado; de qualquer maneira ele sempre se expressava de maneira pouco amigável. Subi diretamente ao primeiro andar, da chefia, para no final do corredor pegar o cafezinho ruim que o Gaúcho fazia pela manhã. A cozinha ficava no final do corredor, onde permanecia a garrafa térmica. O normal é encontrar todas as salas fechadas, a chefia só trabalha em horário de expediente, de segunda a sexta-feira.

Enquanto me dirigia ao final do corredor, ouvi um barulho distante que me chamou a atenção, uma das portas estava aberta. Não mudei o ritmo dos meus passos, pude enxergar com visão periférica que naquela sala um indivíduo estava sentado no chão com as mãos e a cabeça para baixo, enquanto dois investigadores da chefia permaneciam sentados em suas cadeiras. Pareciam esperar alguma coisa.

Fiquei nervoso. Obviamente, coisa boa não poderia ser. Primeiro porque não é comum o trabalho de final de semana. Segundo, não me avisaram nada e eu era o único delegado presente no DP. Embora aqueles investigadores respondessem administrativamente ao delegado titular e ao delegado-assistente, Anderson e Juliano, apenas eu estava no prédio. Como explicar, depois, que eu não fazia parte daquilo?

Desci com o café, ainda mais amargo, e perguntei aos meus policiais:

— Vocês viram os dois investigadores que estão no primeiro andar?

— Não vi, doutor, estava almoçando lá atrás, mas o Gaúcho comentou — respondeu Fábio.

— Eu vi — contou o Gaúcho. — Entraram com um feinho e subiram sem falar nada.

Pronto, o que fazer? Pelo menos em tese, eles poderiam estar em alguma investigação. Mas eu sabia que não se tratava disso, ninguém tinha sido avisado, era tudo às escondidas. Abordá-los e me intrometer poderia me causar mais problemas, mais ódio e perseguição. Outra opção era ficar inerte, como se nada soubesse. Para os padrões da polícia, a última postura era melhor, embora um pequeno risco de ser responsabilizado pairasse sobre a minha cabeça.

Escolhi a segunda opção.

— Deus nos proteja — disse aos dois colegas. — Qualquer coisa me avise, Fábio, estarei na minha sala jogando xadrez com o Gaúcho.

— Pode deixar, doutor — confirmou meu fiel escudeiro.

As horas se passaram e o plantão continuou como antes, uma calmaria de dar inveja a qualquer equipe. Cheguei a me esquecer dos dois no primeiro andar. "Devem ter ido embora", pensei. Das treze horas, quando retornei do almoço, até as dezenove, uma hora antes do término do plantão, nada aconteceu.

A surpresa desagradável chegou depois.

Os dois investigadores surgiram na porta da minha sala, o Gaúcho e eu jogando xadrez. Eles tinham colocado o "suspeito" sentado em um banco no corredor. Enquanto um deles cuidava do rapaz, o outro entrou na sala.

Não precisava explicar nada, eu sabia exatamente o que tinha acontecido. O plantão acabaria em uma hora, eles tentaram achacar aquele indivíduo, provavelmente um ladrão da área. Não conseguiram. Na polícia, aprendemos que não basta ter a informação sobre determinado indivíduo ser criminoso — pode ser até um conhecido roubador de banco —, é necessário ter algo que o incrimine perante a lei, o chamado "positivo".

O "bom" criminoso sabe que se a polícia não tem um positivo seu, requisito necessário para poder negociar algo, nada poderá fazer. Os investigadores ficaram com ele por horas, em verdadeiro cárcere privado, sem nenhuma investigação oficial em andamento. Quando a noite se aproximou, ficaram com medo de simplesmente mandá-lo embora, seria melhor "esquentar" uma ocorrência, para justificar todas as horas de ilegalidade e de abuso de poder.

Minha expressão de ódio e reprovação falava por mim, mas eles não se amedrontaram:

— Doutor, estamos apresentando uma ocorrência — iniciou, na maior cara de pau, um deles, enquanto o outro assistia do lado de fora da sala.

— Ocorrência? Do quê? O que aconteceu? — A essa altura eu já me sentia pálido, nervoso, inconformado com a atitude deles. A taquicardia apareceu rápido. — É com aquele rapaz ali? — apontei o indivíduo sentado na frente da sala, com as mãos para trás.

— Isso mesmo, ele estava andando com uma motocicleta sem licenciamento, ou melhor, com o licenciamento atrasado — e esticou a mão com um documento de motocicleta.

— Vocês não têm vergonha na cara? Estão mesmo achando que depois de tantas horas conseguirão esquentar alguma coisa em meu nome?

— Viemos antes, mas o senhor tinha abandonado o plantão, não estava na delegacia — disse em tom ameaçador, mexendo em sua arma que estava na cintura.

Meu coração disparou, só uma explicação médica para descrever o que eu estava sentindo. Gaúcho ficou quieto, percebeu o meu estado, a inquietação que crescia. Corruptos desse tipo não se intimidam. Pelo contrário, os dois me afrontavam, dizendo que o meu almoço, na verdade, tinha sido um abandono de plantão.

Não me intimidaram. Sem falar mais nada, encarei-os, olhos nos olhos, me levantei e fui em direção à frente da delegacia, onde ficava o telefone. O ladrão, vítima deles, olhava a cena sem entender nada. Nem dez metros de onde eles estavam, peguei o telefone e passei a digitar os números. O silêncio se instalou no ambiente. Todos prestando atenção nos meus atos — a minha equipe, os dois investigadores e o próprio ladrão.

— Alô, Juliano? É o Rodrigo, estou aqui no plantão — o silêncio permanecia no plantão, só a minha voz ecoava. Todos me olhavam. — Juliano, estou com dois investigadores seus aqui. Eles passaram o dia inteiro no prédio com um ladrão. — Afastei o bocal do telefone e olhei para aquele indivíduo, o feinho, como se diz: — Qual o seu nome?

— Ronaldo — respondeu ele, com a voz trêmula.

— Então, Juliano, ficaram por horas com esse Ronaldo aqui, deve ser um ladrão da área. Como não conseguiram nada, provavelmente não têm um positivo. Na maior cara de pau estão querendo esquentar esse abuso, fazer um boletim sei lá do quê. — Todos continuavam me olhando, a noite chegava do lado de fora do prédio, o plantão acabaria logo mais.

Fábio e Gaúcho olhavam para o chão, para o lado, a situação era constrangedora. Os investigadores permaneciam apáticos, não sabiam o que poderia acontecer, eu tinha fama de meio louco, reputação de que eu gostava:

— Resolva isso, Juliano, ficarei escondido — usei essa palavra mesmo — na minha sala. A outra opção é chamar a corregedoria agora, você que sabe.

Antes que o delegado-assistente resolvesse o que fazer, estiquei o braço com o telefone na ponta:

— Telefone para você — E entreguei o aparelho a um dos investigadores.

Saí andando, passei ao lado deles bufando. O ladrão não entendia nada. Fui para a minha sala e o Gaúcho veio atrás. Fábio, quieto, permaneceu cuidando da frente da delegacia.

— Bandidos — desabafei em voz baixa. Entrei na minha sala, sem visão para os tiras graças ao corredor, e me sentei, colocando as mãos na cabeça, que doía.

— Essa chefia está demais, doutor — completou Gaúcho. É todo dia isso, qualquer dia eles vão presos.

— Seria o certo, Gaúcho, mas às vezes penso que vamos nós para a cadeia, no lugar deles. Não tenho condição de jogar mais.

Comecei a guardar as peças do xadrez. Gaúcho ajudava, chateado. Eles tinham conseguido acabar com a nossa paz, queríamos apenas trabalhar sem problema, o que parecia não ser possível nas delegacias de São Paulo.

— Doutor — disse Fábio enquanto entrava na minha sala — o doutor Juliano está vindo para a delegacia para fazer um boletim de ocorrência.

— Boletim do quê? — perguntei.

— Sei lá — respondeu Fábio. — Mas os investigadores subiram de volta ao primeiro andar com o ladrão. O doutor Juliano disse que em dez minutos estará aqui e fará o boletim no nome dele. Insistiu para que eu lhe falasse para não se preocupar.

Acabou o plantão, fomos embora da delegacia antes que o delegado-assistente chegasse. No outro dia, li o boletim feito no sistema: uma apreensão de veículo por documento atrasado. Descaradamente um boletim de ocorrência para esquentar o sequestro de um criminoso sem positivo. Pena que o promotor preconceituoso que entrevistara a presa anteriormente não saberia identificar isso.

CAPÍTULO 13

"Precisamos combater o crime, mas nem tanto"

Por coincidência, estava marcada uma reunião com todos os delegados do 61º DP para o dia seguinte, segunda-feira. Marcada pelo delegado titular, mais uma das muitas reuniões totalmente improdutivas de que eu participava, estava acostumado.

Cheguei à delegacia para a reunião e me dirigi à sala do delegado titular, primeiro andar. Uma sala bonita, com um belo tapete sob a mesa, cheia de enfeites, diplomas na parede, prova de que ele fez muitos cursos. Não enganava ninguém. A sala era pomposa e possuía também uma mesa para reunião, com oito cadeiras. Não tinha tantos delegados assim no 61º DP. Entrei cumprimentando todos, inclusive o delegado-assistente, o Juliano, que tinha vindo fazer aquele boletim de ocorrência "mágico" para esquentar o esquema de seus investigadores.

Anderson começou a reunião com um belo discurso sobre honestidade:

— Rodrigo, quero te parabenizar por ontem, não dê moleza para esses investigadores, quem manda aqui é delegado, e não os tiras.

— Obrigado, doutor. — Meu olhar me entregava, eu nunca consegui esconder as minhas emoções, ainda mais nesses casos. Se o corpo fala, o meu já estava de saco cheio, demonstrando minha revolta por ter de concordar na marra com aquele discursinho do qual eu não conseguia escapar.

— Você fez muito bem. Se acontecer isso de novo, chame o doutor Juliano para fazer a ocorrência — completou o titular.

Como? Achei que ele diria para eu não deixar ilegalidades acontecerem na delegacia, para não deixar que investigadores achacassem as pessoas. Mas não, com aquele falso discurso congratulatório, dizia na verdade para deixar na mão do assistente aquele tipo de ocorrência.

Dei um sorriso sarcástico e concordei:

— Claro, doutor. Sou muito sincero e ninguém pode reclamar, todo mundo sabe que não faço acerto. Quero apenas trabalhar em paz com a minha equipe.

Entre as inutilidades daquela reunião, duas se destacaram. Primeiro a conversa sobre o crime de furto e estelionato, como se aquele delegado titular soubesse Direito Penal:

— Doutor Rodrigo, tenho visto boletins de ocorrência seus com a capitulação jurídica errada. O Superior Tribunal de Justiça decidiu que se o dinheiro sai do caixa eletrônico é crime de estelionato, e não de furto mediante...

— Nossa, o Tribunal falou besteira então, doutor, que absurdo! — interrompi.

Não se tratava de Pireito Penal, longe disso. Na verdade, o delegado titular é cobrado pelo índice de criminalidade da sua delegacia. Para a Secretaria de Segurança Pública, o crime de furto é "culpa" da polícia, deve ser diminuído. Já o crime de estelionato é entendido como uma pessoa enganada por outra, ou seja, a polícia fica isenta dessa responsabilidade.

O fato, ocorrido com frequência nos caixas eletrônicos, configura crime de furto mediante fraude, e não de estelionato. Discussão jurídica, de Direito Penal. O delegado titular não queria saber de nada disso, estava preocupado em não "cair" da delegacia, queria manter o seu esquema. Aliás, não estava nem preocupado com a diminuição dos crimes, mas com a diminuição dos números. Era isso que importava.

Sempre trabalhei com base na lei, no Direito Penal, e não em formas de maquiar as estatísticas. Anderson, que não tinha a menor condição de argumentar sobre as teses jurídicas, acabou por se render:

— Rodrigo — disse em tom humilde e na frente dos demais —, me ajuda, o aumento do crime de furto na estatística me derruba daqui. Faça boletim de estelionato, por favor.

— Nos casos limítrofes eu farei, doutor, pode deixar.

E passei a fazer, confesso. Muitos casos eram apresentados no plantão sem todos os detalhes. Seria necessária uma melhor investigação para saber com precisão qual era o crime. Nesses casos, não seria errado o registro pelo crime que mais interessava ao delegado titular. Foi como se eu desse uma trégua, como se mostrasse boa vontade, colaboração com o sistema.

O segundo assunto daquela reunião que também se destacou foi o aviso, em tom ameaçador, sobre o trabalho dos investigadores. Estes passariam a apresentar mais ocorrências no plantão. A delegacia havia recebido uma ordem para aumentar o combate às máquinas caça-níqueis e à pirataria. Ordem do governo, "coisa alta", disse o delegado titular.

O interessante é que eu sabia da fonte de renda que esse tipo de infração gerava à própria delegacia. Então, como ele estava avisando sobre o aumento do combate ao crime se a ele não interessava combatê-lo nesses casos? Não demorou para chegar a demagoga explicação:

— Precisamos ajudar a sociedade. Mandei os tiras aumentarem imediatamente a investigação, precisamos combater a pirataria em nossa área. — E completou: — Mas não vamos fazer a prisão, apenas o boletim de ocorrência, temos de ter cautela com os direitos dos acusados.

Bingo!

Blá, blá, blá. Muito discurso para pouca verdade. Não enganava ninguém, pelo menos não dentro da polícia. A ideia era mostrar serviço para acalmar as ordens superiores, mas continuar com o esquema de corrupção. No fim, ninguém que interessasse seria preso.

E, é claro, eu teria problemas.

No meu plantão seguinte, vigorando essa nova (falsa) vontade de combater o crime, foi-me apresentada uma ocorrência de venda de CDs piratas. A pirataria, cópia de mídia original que violava os direitos autorais, gerava uma enormidade de dinheiro, alimentava organizações criminosas e a corrupção policial.

Márcio e Eduardo, os mesmos investigadores que mantiveram o ladrão em cárcere privado durante o meu plantão de domingo, se aproximaram do guichê com um punhado de mídias piratas.

Eduardo era mais ousado. Alto, magro, com barba por fazer e uma camisa em tons nada contemporâneos, falava alto e segurava um palito de dente na boca. Márcio, seu parceiro, era o contrário. Sempre um pouco atrás do primeiro, costumava colocar as mãos no bolso de sua calça jeans surrada. De cabelos grisalhos, baixinho, tinha um sorriso amarelo e era conhecido por sua covardia. De qualquer forma, ambos ostentavam suas pistolas calibre .40, niqueladas, com o brilho de uma polícia que parecia não existir.

Eduardo se aproximou. Minha equipe e eu, como de costume, permanecíamos no espaço destinado ao plantão, na parte da frente da delegacia. Atrás da construção de concreto, três guichês, com um piso mais alto em relação a quem seria atendido — nossa trincheira. Enquanto ele se aproximava, Márcio um pouco atrás, percebi que uma mulher se sentava no banco de espera. Ela olhava de forma disfarçada para os investigadores.

Eduardo levantou as mãos mostrando cerca de dez mídias. Colocou-as no guichê, à frente do Fábio:

— Doutor, uma apreensão de CDs. Parece que são piratas.

— Você está me apresentando uma ocorrência? Eu que apreciarei o caso? — registrei.

— Já falamos com o titular, é só pra fazer um boletim de ocorrência aqui por baixo — ou seja, no plantão —, uma apreensãozinha.

Os boletins de ocorrência nada mais são do que o registro de fatos, pelo menos em tese, criminosos. Mas cabe ao policial que deparou com o fato entregar ao delegado todos os elementos de que dispõe: os materiais apreendidos, as vítimas, as testemunhas e, principalmente, o suspeito. A importância disso se dá porque caberá ao delegado decidir se o suspeito foi surpreendido durante ou logo após a prática de algum crime, qual crime é esse, e se lavra ou não o auto de prisão em flagrante delito. Se o delegado decide fazer o auto de prisão, o indivíduo apresentado vai para a cadeia imediatamente.

Esse é o risco, do ponto de vista desse tipo de policial, de apresentar tudo ao delegado: e se ele decidir pela prisão após o achaque? É nesse caminho que muitos policiais minimizam a ocorrência, apenas "um beozinho", "uma apreensãozinha". Registra-se o fato e comemora-se a corrupção.

Senti no olhar do investigador Eduardo que ele escondia algo. Resolvi apostar:

— Preciso qualificar — quer dizer, colocar todos os dados no boletim de ocorrência — quem estava com esses discos. Onde está a pessoa? Com quem vocês pegaram isso? — apontei as mídias.

— Estão lá em cima — respondeu ele, indicando a escada. — Mas aqui é só boletim, doutor, já falamos com o delegado titular — insistiu ele.

— Isso eu já entendi. Estamos acabando uma ocorrência e faremos essa, só esperar.

Eduardo e seu parceiro subiram tranquilamente. Enquanto sumiam pelo prédio, a mulher abaixava o olhar. O que seria de mim sem a minha equipe?

— Doutor — resmungou Fábio, e apontou o banco de espera apenas com as sobrancelhas. — Aquela mulher está com os tiras, deve ser advogada. Eu vi os três conversando por mais de meia hora no estacionamento, em frente àquele carro — mostrou com o olhar um veículo do lado de fora do prédio.

O piso mais alto de quem ficava no espaço destinado ao plantão fazia com que tivéssemos a visão, pelo vitrô, de todo o estacionamento da delegacia. Apostei mais uma vez:

— Doutora — me dirigi a mulher —, a senhora é a advogada dessa ocorrência?

— Sou — respondeu ela calmamente.

Faltava a cartada final, ela certamente acreditava que estávamos juntos no acerto.

— Vamos precisar apreender todas as mídias, mas fique tranquila — concluí em tom amigável.

— Todas? Os CDs que estão no carro também? — perguntou ela, sem perceber que acabara de entregar a existência de mais discos não apresentados pelos investigadores.

— Isso mesmo — completei. — Fábio, acompanhe a doutora até o carro, traga todos os discos.

Enquanto Fábio e a advogada traziam os discos para o plantão — mais de trezentos CDs piratas de vários cantores —, subi ao primeiro andar e fui direto à sala dos investigadores.

Antes de me aproximar da porta, pude ouvir um tom de conversa amigável, risos e amenidades. Apareci na entrada da sala. Eduardo fumava tranquilamente, Márcio tomava café com os dois indivíduos que foram surpreendidos vendendo os discos piratas. Estavam soltos, tranquilos, como se estivessem na própria casa.

— Os senhores que são da ocorrência dos discos? Me acompanhem.

Os dois vieram atrás de mim. Ambos brancos, andar malandro, falavam por gírias e sorriam muito. Os "sócios" dos investigadores seguiam-me tranquilamente. Descemos as escadas sem pressa, caminhamos pelo corredor do andar térreo até o final, onde ficava a cela que sobrara da antiga carceragem. Antes de dar tempo para os investigadores perceberem o que estava acontecendo, entramos na cela.

Fui o primeiro a entrar. Os dois não entenderam quando apenas eu saí, fechando a grade e trancando o cadeado. Olharam-se surpresos, e eu respondi:

— Vocês estão presos em flagrante pelo crime previsto no artigo 184, do Código Penal.

Coloquei as chaves da cela no bolso. A satisfação me invadia, o nervosismo também. Foi o tempo de Eduardo e Márcio descerem, a tensão se espalhou pelo ambiente.

— O que é isso, doutor? — perguntou Eduardo, quase gritando. Ele respirava rápido, ofegante, esticou o braço em minha direção para a pergunta, num patente tom ameaçador.

— Isso é um flagrante, ambos estão presos — respondi no mesmo tom, segurando as chaves dentro do bolso.

— Não é, não, é só para fazer um boletim — argumentou, inconformado. Márcio, covarde, não disse qualquer palavra, mas estava visivelmente nervoso.

— Quem mandou me apresentar a ocorrência? Está decidido, daqui eles só saem por ordem do juiz! — Eu os encarava seriamente.

Eduardo se aproximou da grade, as chaves estavam comigo. Admito que fiquei mais nervoso, não havia passado por situação semelhante. Nunca se sabe o que pode acontecer, todos armados, em situações opostas claras. Éramos inimigos naquele momento.

— Abre isso aqui, vou falar com o delegado titular! — ordenou o investigador.

— Eduardo, não vou discutir, eles estão presos. Se alguém abrir essa cela, vai preso com eles, seja quem for, inclusive você — sentenciei e saí, me dirigindo para a frente da delegacia, para o plantão.

— Fábio — disse em tom baixo enquanto Eduardo esbravejava. — Corra com esses documentos, encerre a ocorrência antes que o delegado titular chegue.

— Pois não, doutor — respondeu ele com seu singular sorriso sarcástico.

O sistema atual da polícia de São Paulo, denominado RDO — registro digital de ocorrência —, funciona de modo on-line. O computador da delegacia nada mais é que um simples terminal ligado ao *mainframe*, que fica distante de qualquer lugar. Não se pode alterar um boletim de ocorrência após apertar a tecla "finalizar".

Assim, após finalizar uma ocorrência, ela está automaticamente disponível para qualquer pessoa que possui acesso ao sistema RDO, em qualquer parte do Estado de São Paulo. A única coisa que se pode fazer é um novo registro complementar. O anterior não é apagado. Ou seja, como poderia o delegado titular fazer um boletim complementar ao meu, voltando atrás? Sabíamos, e eles também, que isso não era possível.

— Corre, Fábio, como estamos? — perguntei em voz baixa.

— Estou correndo, estou correndo! — resmungou.

Não se pode finalizar um boletim incompleto. Coitado do Fábio, inseria freneticamente inúmeros dados no computador, parecia sair fumaça do teclado: a qualificação dos presos, todos os dados, o número certo de mídias, local, hora etc.

Eu estava curvado olhando a tela do computador. Fiquei ereto e pude ver pela janela o carro importado do delegado titular apontando na entrada do estacionamento. Meu nervosismo aumentou. Anderson entrou e estacionou rapidamente, como se estivesse atrasado para algum compromisso. A saída rápida do carro e o passo acelerado demonstravam que ele já sabia o que estava acontecendo.

— O delegado titular chegou, Fábio, finalize a ocorrência, rápido!

— Falta só mais um pouco — respondeu, enquanto seus dedos dançavam pelo teclado freneticamente.

— Agora, Fábio. Agora!

Pude ver ao mesmo tempo o delegado Anderson colocando seu pé esquerdo na entrada do plantão, de forma apressada, enquanto Fábio clicava no botão "finalizar" do sistema. Estava feito. Os dois estavam presos e o Estado poderia acessar, a partir daquele momento, todos os dados do boletim de ocorrência. Não tinha mais como voltar atrás. Ninguém seria louco de registrar no sistema um boletim complementar mudando o que havia sido feito.

Ainda que o clima tenso continuasse presente, consegui respirar mais aliviado. A advogada permanecia sentada, esperando o registro dos fatos, sem imaginar o que se passava do lado de dentro daquele pequeno muro de concreto. A crença popular — errada — de que toda a polícia é corrupta me ajudava às vezes. Pude prendê-los sem que a advogada interferisse.

— Rodrigo, venha até a minha sala — disse o delegado titular.

— Pois não, doutor — respondi, fingindo-me tranquilo.

Segui o Anderson até sua sala. Ele entrou sem me olhar, respirando ofegante, não pelo ocorrido, mas pela caminhada rápida que dera do estacionamento até a entrada do plantão. Sua barriga não estava acostumada com exercícios.

— Tudo bem no plantão? Como estão as coisas? — perguntou o titular.

— Tudo tranquilo, estou fazendo uma prisão em flagrante de dois indivíduos que vendiam discos piratas. Ocorrência apresentada pelo Eduardo, doutor.

Anderson me olhou, ficou imóvel por alguns segundos, como se estivesse hipnotizado. Passou a mão direita em seu rosto, sua barba por fazer. Respirou fundo e disse:

— Precisa de alguma ajuda?

— Obrigado, doutor, o Fábio é um ótimo escrivão. Demos conta de tudo, fique tranquilo.

— Então, tudo bem. — Ele sentou-se calmamente, olhou para a tela de seu computador e começou a trabalhar.

Não sei bem o que se passou ali. Acredito que ele refletiu e se lembrou de quem se tratava. Ele me conhecia, sabia que eu não voltaria atrás. Fiquei sabendo que os dois investigadores levaram uma bronca imensa por não o terem esperado para fazer a ocorrência no nome dele, Anderson.

Essa era a minha revolta frequente: por que não esperar um pouco? Bastava fazer a ocorrência no primeiro andar, no nome do delegado titular. Por que me obrigar a fazer parte daquilo? Essa era a regra: os tiras nos empurravam goela abaixo a ocorrência que queriam, com acerto ou não, como se fôssemos empregados do sistema podre.

Há mais de uma polícia dentro da polícia. Isso é certo.

Ao descer e retornar ao plantão, percebi imediatamente que algo tinha acontecido. Cheguei a tempo de ver uma mulher saindo do plantão. Com roupa simples, segurando um saco plástico, cabelos amarrados e andar duro, saiu nervosa, gesticulando. Ela reclamava genericamente e desapareceu na via pública, ao lado da advogada, que saiu quieta e pálida do plantão.

— Doutor — aproximou-se Fábio —, temos um problema.

— Outro? Nem me acalmei ainda.

— Aquela mulher disse que vai à corregedoria, é esposa de um dos presos. — Apontou para a rua. A nervosa que acabara de sair do plantão em companhia da advogada era a esposa.

— Como assim? — perguntei.

— Ela gritou comigo, disse que pagou para seu marido ser solto e, por isso, ele teria de ser solto.

— Mas você...

— Eu falei, doutor, disse que os investigadores apresentaram a ocorrência para o delegado errado, um honesto. Ela ficou com mais raiva ainda, disse que ia reclamar mesmo assim.

Esse é o mundo bizarro da polícia, o reflexo de uma sociedade hipócrita que clama por um Estado com agentes honestos, mas apenas no discurso. O que se quer na verdade é o "direito" de pagar pelo "jeitinho brasileiro". A minha conduta e da minha equipe, de aplicar a lei e agir corretamente, foi o grande problema daquela ocorrência.

Àquela altura da vida, com uma boa experiência, ficava fácil perceber que é arriscado enfrentar a corrupção. Mas quem seria responsável por ela? Nem sei ao certo. Parece que há uma consciência social, um acordo tácito de que se pode desrespeitar a lei. A polícia, por sua vez, tem a obrigação de parecer honesta, mas também de receber o dinheiro quando necessário. Enquanto favelados são presos por qualquer coisa, alimentando as estatísticas, os mais endinheirados vivem tranquilamente, certos da impunidade. Essa é a mentalidade, a prática que não se pode questionar, combater, atrapalhar.

Mesmo sabendo disso, era mais forte do que eu, simplesmente não conseguia participar passivamente daquela hipocrisia injusta e desigual. Mas de certa forma eu me sentia protegido, como se tivesse aprendido a conviver e a me defender em situações como aquela. No fim — pelo menos, até então —, eu sempre saía ileso. Os dois criminosos foram presos em flagrante e os investigadores teriam de "vomitar" o dinheiro. Esse era o termo utilizado para o caso de terem de devolver a propina após acontecer algum problema.

Eu era o problema.

Nesse dia, porém, algo novo aconteceu. Eu estava tranquilo, só faltava assinar aquela infinidade de peças, de documentos relativos à prisão dos dois vendedores de discos piratas. Eu estava sentado na cadeira destinada ao delegado de plantão, olhando o Fábio trabalhar. Gaúcho estava na carceragem colhendo as digitais dos autuados.

De forma calma, serena, um investigador de polícia da chefia se aproximou vagarosamente. Ele era de outra equipe de investigadores da chefia, não trabalhava com Eduardo. Veio olhando para o chão, pensativo, com as duas mãos para trás. Sentou-se na cadeira à frente da mesa do delegado de plantão, entre mim e o Fábio.

— Doutor... — coçou a cabeça com um dedo, pensativo, e franziu a boca, preparando-se para continuar. — Eu sempre te defendi na chefia, eu falo para o pessoal não te apresentar ocorrência...

— Eu sempre joguei limpo, Gustavo, todo mundo sabe que não faço acerto — interrompi.

Gustavo era um investigador das antigas, com mais de cinquenta anos de idade e incontáveis anos de polícia. Sempre malvestido, era o estereótipo do que se denominava "tiragem", chamado pelos próprios colegas de "boquinha". Alto, fora do peso, sempre estava com a mesma calça jeans, sapatos velhos e uma camisa para fora das calças. Barba por fazer e o cabelo sempre penteado, ainda que muito oleoso.

Quando os plantões estavam vazios, aquelas horas em que não tínhamos nada para fazer, muitas vezes Gustavo se sentava na mesma cadeira, conversávamos sobre muitos assuntos, inclusive corrupção. Por isso, nos respeitávamos, a lei do "cada um na sua". Afinal, embora em lados opostos, pertencíamos à mesma instituição.

— Eu avisei o Eduardo, doutor, mas ele é teimoso. Avisei que era para esperar o delegado titular chegar.

— Tiveram de vomitar o dinheiro? — perguntei ao Gustavo.

— Está o maior alvoroço lá em cima — pontuou Gaúcho.

— Sim, estão enlouquecidos — disse Gustavo. — Mas o problema é que não acho certo o que eles estão combinando.

— Como assim? — indaguei. Aquilo era novo.

— Os tiras estão inconformados, doutor. Os presos vão dizer na audiência, para o juiz e para o promotor, que eles foram presos porque não deram dinheiro a você. — Respirou fundo e concluiu: — Achei melhor te avisar.

Meu coração acelerou imediatamente. Eu ainda não tinha entendido direito o que estava acontecendo. Eu estava entrando em uma armadilha.

— O próprio Eduardo disse que vai confirmar essa mentira na frente do juiz — completou Gustavo. — Eu disse lá em cima que não acho isso certo.

Era isso mesmo? Inimaginável, mas era isso.

O combinado era chegar à audiência de instrução, perante o juiz de direito que os julgaria e o promotor que os acusava, e dizer que o delegado Rodrigo tinha pedido dinheiro. Comecei a projetar a audiência, com toda a imagem consolidada — e reforçada pelas más práticas — de que a polícia é corrupta. Provavelmente acreditariam nos presos, principalmente porque os dois investigadores confirmariam a história.

Levantei-me, saquei a minha arma do coldre, uma pistola calibre .40 mm e, apontando-a para o chão com a mão trêmula, passei a dar passos abstratos em direção à escada. O nervosismo tomava conta de mim a cada segundo.

— Vou matar o Eduardo, não tenho nada, só a minha dignidade. Ele quer tirar isso de mim? — perguntei a ninguém, olhando para o chão.

A verdade é que eu não mataria ninguém, mas também não era um blefe. Eu realmente estava fora de mim, e pensei que enfiar a arma na cabeça do Eduardo e do Márcio resolveria o problema. Tive sorte, o próprio Gustavo me conteve.

— Calma! Calma! — disse ele, segurando meus braços aos gritos. — Ajuda, Fábio!

Fábio correu em minha direção e segurou a minha mão, apontando a arma para o chão. Fui me acalmando, mas ainda estava atordoado. Esse tipo de perigo, de ameaça, era tudo novo para mim. Guardei a arma, olhei diretamente nos olhos do Gustavo e disse com uma calma aterrorizante:

— Eu só tenho meu nome, Gustavo. Pode avisá-los, se tirarem isso de mim, eu mato os dois.

Gustavo saiu nervoso em direção ao primeiro andar. Segurei meu nervosismo e contei aos meus dois parceiros, Fábio e Gaúcho, o que os investigadores planejavam.

— É muita canalhice, doutor — pontuou Fábio. — Vou falar com o chefe dos investigadores, isso não pode acontecer.

— Vamos lá! — concordou Gaúcho, levantando-se.

— Não adianta, agora só resta esperar. Estou tranquilo. Acabem a documentação, estarei na minha sala.

Entrei na minha sala com um pouco de tontura. Fechei a porta. Sentado e olhando para o nada, fiquei imaginando dois presos me acusando de corrupção, com o testemunho de dois investigadores de polícia e com a confirmação da advogada.

Eu estaria ferrado.

Os próximos dois meses foram tensos. Na delegacia, o assunto morreu, como se nada tivesse acontecido. Mas em casa Daniela me flagrava durante as madrugadas no computador, pesquisando na internet se a audiência de instrução daquele processo estava marcada. Ficava acompanhando como um doente que espera seus resultados médicos.

Até que encontrei a publicação no *Diário Oficial*: a audiência de instrução estava marcada no Fórum Criminal Central, na Barra Funda.

Eu precisava fazer alguma coisa.

No começo da minha carreira na polícia, fui a um local de homicídio ocorrido dentro de uma favela em São Paulo. Novo na instituição, totalmente inexperiente, aquela ocorrência ficaria em minha memória para sempre. Isso porque chegamos ao local logo depois dos disparos. Estacionamos a viatura ao lado do cadáver para esperar a perícia. Rapidamente, as pessoas se aproximaram do corpo, que cobrimos com um jornal velho. As pessoas cercaram o cadáver a uma distância segura e ficaram paradas, olhando. Alguns com filhos pequenos no colo, bebês.

Como se soubesse o que estava fazendo, lembrando das aulas da Academia, perguntei a algumas pessoas, uma a uma, se tinham alguma informação a dar. Ninguém falou nada, a lei do silêncio na favela.

Mas o fato que ficaria marcado em minha memória é que, aproximadamente um mês depois, prendemos o autor do crime. Lembrei-me dele imediatamente. Por incrível que pareça, o homicida era um dos que estavam ao lado do cadáver, da sua vítima. Matou e permaneceu no local, calmo, como se nada tivesse acontecido.

Não resisti. Enquanto o colocava na viatura — efetuamos a prisão dele em uma cidade próxima da Grande São Paulo —, perguntei:

— Eu lembro de você, estava na roda, em volta do cadáver. Por que não fugiu?

Com as mãos para trás, algemado, respondeu com uma sinceridade que saltava aos olhos:

— Não podemos fugir da nossa verdade.

Da mesma forma, sem perceber, na data da audiência de instrução daquele flagrante das mídias piratas, lá estava eu, na porta do Fórum Ministro Mário Guimarães. Maior fórum criminal da América Latina, até hoje me perco por aqueles corredores, um verdadeiro labirinto, sem janelas na maioria das salas. Os corredores parecem se repetir propositadamente. Chega a dar tontura.

Entrei me identificando como delegado de polícia. Vestia meu melhor terno desconjuntado. Eu estava armado apenas porque carregava a minha pistola diariamente, não havia qualquer intenção. As audiências criminais são públicas, eu sabia disso, e fui apenas como espectador. Mesmo assim, dez minutos antes do início, me apresentei ao juiz do caso.

As partes foram apregoadas. A sala, pequena e sem janelas, fria por natureza, continha três cadeiras em um canto. Sentei-me na da esquerda. Eu não poderia fugir da minha verdade, permaneci calmo sem saber o que aconteceria. O promotor de justiça entrou na sala. Percebi que o juiz cochichou alguma coisa, provavelmente dizendo que o delegado do caso estava ali. Ele se virou e cordialmente me cumprimentou.

Eduardo foi chamado. Por lei, era o primeiro a ser ouvido como testemunha de acusação. Ao entrar, tomou um susto visível, esperava qualquer um naquela sala, menos eu. Como um reflexo, aproximou-se de mim, estendendo a mão para cumprimentar e deu um bom-dia em tom normal, seguido de um cochicho:

— QTA, doutor — murmurou.

Depois sentou-se e a audiência começou normalmente. Nem o juiz nem o promotor ouviram o que Eduardo disse. Mesmo se tivessem escutado, não entenderiam. O código QTA tem origem no radioamadorismo, significa o "cancelamento da ocorrência". Eu entendi na hora. Ele me disse, na frente de todos e sem que ninguém percebesse, que não fariam aquilo, não falariam que eu tinha pedido dinheiro.

Embora Eduardo tenha me convencido, permaneci até o final da audiência, até os interrogatórios dos acusados. Ele não tinha conversado com os presos antes de me encontrar na sala. Isso significava que realmente não cumpririam a maldita promessa de me incriminar.

Escapei de mais uma.

Ao final, me levantei, fazendo deferência ao juiz, o promotor estava ao seu lado. Revelou-se a distância entre nossos mundos. Eles nem sonhavam o que acabara de acontecer naquele ambiente.

Acontecimentos como esse só me demonstravam a distância entre o mundo da polícia e o dos demais operadores do sistema de Justiça. Não é culpa do juiz, do promotor, do defensor. Enfim, possível é, mas muito difícil entender esse sistema complexo que é a polícia.

A graça e a desgraça andavam de mãos dadas na minha carreira. Não demorou e, por coincidência, o governador trocou o secretário de Segurança Pública. Sempre que o secretário é trocado, como num efeito dominó, todos os cargos de chefia são alterados. Houve uma onda de ripas, da delegacia geral aos delegados titulares, muitos foram trocados. É a denominada dança das cadeiras.

Nem vi o dia em que quase todos os investigadores foram recolhidos para a seccional. O delegado titular passou na minha sala, no final do corredor do andar térreo, para se despedir:

— Rodrigo, estou indo — disse Anderson.

Ele segurava uma caixa com poucos objetos em seu interior, depois mandaria alguém buscar os inúmeros pertences da sua antiga sala.

— Boa sorte, doutor.

— Quer saber? Mantenha a sua conduta, não mude seu jeito de ser, não. Eu sempre gostei do seu trabalho.

— Obrigado — respondi. Percebi que ele estava sendo sincero naquele momento.

Com o delegado Anderson, é claro, foi o delegado-assistente, Juliano. Ele também veio se despedir, fiquei lisonjeado. Passou rapidamente pelo corredor enquanto Anderson falava, segurando uma mala tipo 007 nas mãos. Sem parar o passo tranquilo, sorriu:

— Vamos ver até quando, Rodrigo, até quando — brincou, referindo-se à minha honestidade.

— Eu tenho esse defeito, Juliano, nasci assim — respondi, sorrindo.

CAPÍTULO 14
"Atirar é fácil, difícil é saber qual é o alvo"

Iniciou-se uma fase de caça às bruxas no Decap. Para o departamento que cuidava das delegacias da cidade de São Paulo foi designado um diretor que vinha do interior; eu nunca tinha ouvido falar nele, nem meus colegas de plantão.

Chegou com fama de honesto e muito complicado. Em pouco tempo, passei a entender por quê. Os novos delegados titulares morriam de medo dele, era conhecido por doutor Fredão. Primeiro, ele avisou a todos por meio da rádio peão que, se houvesse fuga em uma delegacia, o delegado titular estaria automaticamente removido, independentemente de qualquer coisa.

Foi uma vitória para os delegados plantonistas. Nunca trabalhei tão confiante — com relação às fugas, é claro. Os titulares com que eu trabalhei sempre empurravam a cadeia, permitiam a entrada, extraoficialmente, de apetrechos para acalmar os presos, como os pastéis. A responsabilidade, se ocorresse algum problema, era injustamente do carcereiro.

Com o doutor Fredão isso mudou. Dizem que, em uma reunião, ele prometeu resolver de uma vez por todas os problemas das delegacias de São Paulo. Mas infelizmente logo todos perceberam que ele não conhecia o nosso departamento, vinha do interior.

As baixas começaram a aparecer.

Em 2002, quando ingressei na carreira e fiz a Academia de Polícia, nós, alunos, fazíamos visita monitorada nas delegacias, uma espécie de estágio. Cinco delegados novos em cada distrito policial acompanhavam o plantão, monitorados por um professor.

Em um desses estágios, eu e mais quatro alunos fomos monitorados por um delegado professor chamado Maurício. Arrogante, nos tratou muito mal durante aquele plantão, exalava um ar de superioridade. Na época, ele trabalhava na corregedoria, lugar em que ficou por mais de dez anos. Embora visivelmente honesto, não me parecia que tinha a melhor conduta, partia do pressuposto de que todos eram corruptos, desconfiava de todo mundo. Quem o conhecia dizia que ele tinha cometido algumas injustiças em seu trabalho como corregedor.

Pois Maurício foi justamente a primeira vítima do doutor Fredão.

Maurício foi ripado para o Decap depois de dez anos como corregedor. Colocaram-no em uma delegacia com policiais que ele havia prendido. Inimaginável o que ele deve ter passado. Sua conduta questionável, seu preconceito com a polícia não o faziam merecedor de uma ripa para uma unidade com os policiais que ele punira.

Mas nada foi pior do que o dia em que aconteceu uma fuga de presos, no plantão do Maurício. Não sei se o carcereiro de plantão teve alguma culpa, mas Maurício certamente não. O fato é que o doutor Fredão, ao contrário dos diretores anteriores, foi imediatamente para a delegacia onde ocorreu a fuga.

Com seu sotaque interiorano, baixa estatura e barrigudo, estava rodeado por várias pessoas. Quando ocorre uma fuga, todos imediatamente retornam à unidade: delegado titular, investigadores, policiais de apoio, muita gente. Assim que o novo diretor chegou, no meio de todos, bradou sem olhar para Maurício:

— Eu avisei que não quero mais fuga em delegacia! — Olhou para Maurício e sentenciou: — Você está preso por fuga, nem que seja culposa! — então se virou e foi embora.

Fredão prometera fazer justiça com os delegados titulares, mas prendeu apenas o plantonista. Não é à toa que dizem ter se instalado o terror no Decap nessa época. Maurício não teve qualquer culpa naquela fuga, nenhuma. Ainda que arrogante e preconceituoso, era um homem honesto, tinha sido colocado no plantão graças a uma ripa, por ter brigado com alguém mais poderoso da corregedoria.

Maurício foi preso pelo crime de fuga culposa, menos grave que a dolosa. Assinou um termo circunstanciado, injustiçado na frente de todos. Serviu de exemplo para o departamento e funcionou: todos passaram a temer o doutor Fredão.

Naquela época eu constantemente me flagrava deitado em minha cama com os olhos abertos, perdidos, pensando naquele evento. E se tivesse sido eu? Não sei o que faria, mas como concordar passivamente quando prendem você injustamente? Meu coração acelera só de lembrar.

Maurício tirou licença médica, passou a viver a base de remédios controlados. Muitos gostaram daquilo, ele talvez tenha feito o mesmo com outros quando estava na corregedoria. Alguns diziam que ele tirou licença médica para não trabalhar, que o estado mental dele era uma farsa. Não creio. Tenho certeza de que Maurício foi dolorosamente corroído por dentro: para quem é honesto, ser processado injustamente é inaceitável. Ele nunca mais se recuperou daquela injustiça, ainda que tenha se beneficiado da lei de "pequenas causas", o juizado especial criminal.

Outras inúmeras baixas do doutor Fredão viriam, e o temor aumentava. Se por um lado os delegados titulares passaram a cuidar efetivamente das cadeias e as fugas diminuíram radicalmente, por outro ninguém sabia quem seria a próxima vítima.

O problema não é dar o tiro, mas acertar a pessoa errada. Assim, novas ordens tácitas foram instaladas no departamento. Com relação às cadeias, se houvesse fuga, algum delegado seria preso, não interessaria se tinha culpa ou não. Assim, os delegados plantonistas foram, de maneira indireta, proibidos de sair da delegacia, de deixar o plantão sequer para almoçar. Cada um que trouxesse a sua marmita.

O doutor Fredão fazia rondas, chegava de surpresa nas delegacias para vistoriá-las. Quem não faz nada errado não tem o que temer, certo? Não era bem assim, eu daria total apoio à iniciativa se não gerasse injustiças.

Enquanto eu continuava na delegacia de Heliópolis, uma amiga de concurso estava do outro lado da cidade, na zona norte. Edna era pessoa do bem, aposto que ela nada fazia senão o seu serviço, levando a polícia como podia, cuidando de sua vidinha simples, como a minha.

Certo dia, Edna trabalhava normalmente no plantão diurno, vestia uma saia cor-de-rosa de tom claro. Logo no início do plantão ela teve a infelicidade de ter sujado a saia com uma pequena mancha de menstruação. Avisada pelos investigadores de sua equipe, disse:

— Vou até a minha casa, é bem perto daqui, em vinte minutos estarei de volta, tudo bem?

Os investigadores obviamente concordaram e lá se foi ela, um pouco constrangida.

Mas na polícia a sorte está acima do que é certo ou errado. Durante a curta ausência da delegada Edna chegou no plantão o doutor Fredão, com a sua promessa de consertar a polícia. Ao perguntar da delegada e saber de sua ausência, com dedo em riste disse que "o abandono não ficaria assim".

Pior, Edna chegou enquanto o diretor proferia seu discurso nas dependências do plantão. Ela não teve tempo de se explicar, muito menos os investigadores, que morriam de medo de serem transferidos. Enquanto apontava sua roupa trocada, agora limpa, ouviu aos gritos que seria transferida imediatamente para o outro lado da cidade de São Paulo.

Depois da humilhação, a mancha em sua saia tinha sido o menor de seus problemas. Saiu do plantão chorando compulsivamente em direção à delegacia seccional. Não houve quem a convencesse do contrário, requereu sua exoneração no mesmo instante e foi embora da polícia. Depois de um concurso concorridíssimo, abandonou a carreira de delegada sem pensar duas vezes.

Confesso que invejei a atitude, mas, na minha idade, não tinha mais condição de abandonar uma carreira pública, estável, depois de tanto esforço. Não tive coragem de telefonar para Edna, mas, pensando sobre o ocorrido, acredito que aquela situação tenha sido apenas a gota d'água, certamente ela tinha passado por muitos problemas. Eu não era o único com cicatrizes.

Como em uma loteria, chegou a minha vez.

Logo no início de um plantão noturno, por volta das vinte e uma horas, lá estava eu e a minha equipe nas dependências do plantão da delegacia de Heliópolis. Ela funcionava em um prédio muito feio, acabado, descuidado, típico de um bairro carente. Depois de anos, me acostumei a trabalhar em condições insalubres. As cadeiras cuspiam espuma, o concreto frio e desgastado era a parte mais bonita da delegacia. A limpeza era precária. Havia inúmeras prisões, papéis se acumulavam pelo chão, nos corredores. Parecia que um furacão tinha arrebatado aquele lugar.

Em meio ao caos, fui surpreendido pelo doutor Fredão, despontando na porta principal. Com as mãos para trás, entrou lentamente com o seu terno alinhado, acompanhado por dois investigadores. Fábio fazia um boletim de ocorrência, as pessoas se acumulavam para registrarem seus casos, sobrecarregando o único escrivão que a polícia colocava para atendê-los. Gaúcho encontrava-se no saguão, fazendo a triagem das pessoas que chegavam.

Ambos reconheceram o diretor e disfarçadamente me olharam. Eu estava sentado ao lado do Fábio, fazendo outro boletim de ocorrência. Embora não fosse a minha função, eu costumava fazer boletins, principalmente para ajudar Fábio.

Levantei-me, pedi licença à vítima e me antecipei, aproximando-me do diretor:

— Boa noite, doutor, eu sou o delegado de plantão.

— Esta delegacia está um lixo — resmungou ele.

Permaneci quieto, não tinha o que falar. Aliás, ele estava certo. Olhando para cima, metade das lâmpadas estavam queimadas, o que dava um tom mais sombrio ao plantão.

— Todos serão transferidos — completou ele.

E assim se encerrou o meu trabalho na delegacia da favela de Heliópolis. Depois de anos naquele lugar e muitos problemas, fui ripado porque metade das luzes do plantão estavam queimadas. Não só eu, toda a minha equipe e o delegado titular. Outros vieram em nosso lugar, provavelmente ripados de outra delegacia com luzes queimadas.

Embora o fundamento da transferência tenha sido absurdo, reconheço que o famoso diretor foi educado comigo todo o tempo. E mais, a minha ripa foi um prêmio. Eu não aguentava mais aquele lugar, e acabei em uma delegacia muito melhor, no 17º DP, bairro do Ipiranga.

CAPÍTULO 15

17º DP: "Meu inquérito kafkiano, e a sua capa"

Fui designado para a delegacia do Ipiranga, 17º DP, rua Dom Luiz Lasanha, 534. Além de as instalações serem infinitamente melhores que as de Heliópolis, tive a sorte de mandarem o escrivão Fábio para a mesma delegacia. Continuei trabalhando com o meu fiel escudeiro. Descobri que o diretor se limitou a determinar a transferência de toda a equipe de plantão e do delegado titular, sem nem querer saber onde o delegado seccional nos colocaria.

Àquela altura eu nem imaginava que o 17º DP seria a última delegacia onde eu trabalharia. Recebi a notícia da transferência com alegria, como se estivesse saindo de um buraco. Olhando para trás, para tudo o que eu havia passado, tinha a convicção de que a minha vida melhoraria.

Estava enganado. Chegando à seccional, encontrei a escrivã Mônica. Eu a conhecia fazia tempo, ótima pessoa. Quando veio me dar o ofício de apresentação para o 17º DP, segurou as minhas mãos e olhou, apreensiva, diretamente nos meus olhos:

— Cuidado, doutor, muito cuidado — murmurou.

— O que aconteceu? — perguntei.

— Esse delegado seccional te odeia, te mandou para o Malvadeza. Eu o vi falando "Manda esse folgado para o Malvadeza, ele vai aprender o que é bom".

Confesso que saí da seccional um pouco assustado, Mônica estava muito nervosa. Eu ouvira sobre o famoso delegado Malvadeza, diziam que ele era sério, extremamente rigoroso, queria todo o trabalho impecável. Pensei inicialmente que não teria problemas, eu também era sério. Mas diziam também que era impossível trabalhar com ele, que ele vivia representando contra os policiais e delegados junto à corregedoria. De qualquer maneira, eu não compreendia como um delegado titular que gostava de um trabalho sério poderia ser ruim para mim, depois de tudo o que eu passara na carreira.

Lá vamos nós. Era só o começo.

O Ipiranga é um bairro tradicional de São Paulo. Predominantemente residencial, tem um ar de tranquilidade. A delegacia, de arquitetura tradicional, semelhante à de outras construções antigas do bairro, é de longe melhor do que a anterior, de Heliópolis. Possui uma área grande na frente do plantão e um pequeno muro que separa as pessoas dos policiais.

Apresentei-me ao delegado titular, o famoso doutor Malvadeza, no mesmo dia. Preparado, entrei calmamente em sua sala, pedindo licença. Eu conhecia apenas a sua fama, não o tinha visto pessoalmente. Baixo e gordo, com uma barriga saliente, manteve-se sentado em sua cadeira, atrás de uma grande mesa. Segurava um cigarro enquanto lia alguns papéis. A fumaça tomava conta do ambiente, pude ver o cinzeiro lotado de bitucas, era um fumante contumaz.

Sem me olhar, conduta costumeira quando plantonistas se apresentam, apontou a cadeira à sua frente com os dedos que seguravam um cigarro apagado:

— Sente-se. Doutor Rodrigo, não?

— Isso.

— Sua fama lhe precede — levantou o rosto com olhar de reprovação.

Permaneci em silêncio, mas pensei: "A sua também".

— Trabalhar comigo é muito simples, basta me obedecer, sem questionamentos. E mais, não perdoo erros. Saiba que a administração pública é uma máquina de moer pessoas, você será moído pelas engrenagens diante do mínimo erro.

— Eu trabalho direito, doutor.

— Que bom — disse ele. — Não tolero qualquer tipo de corrupção, seja de quem for. Se eu souber de algo errado...

— Não saberá, de mim não, posso garantir — interrompi. Ele havia falado em corrupção antes de mim, essa parte eu podia garantir. Fiquei feliz em ouvir aquilo, será que eu seria um Malvadeza quando tivesse a idade dele?

Lembrei-me da Mônica, será que era esse o problema? Seria ele um delegado titular honesto?

Fiquei meio sem entender, o delegado seccional me odiava justamente por eu ser honesto e "causar problema" nas delegacias, mas me colocou com aquele delegado famoso por ser rígido, exigir tudo direito. Melhor trabalhar com esse do que com os outros corruptos que conheci na minha carreira. Eu estava feliz.

E mais, consegui continuar trabalhando com o escrivão Fábio e com o investigador Gaúcho, pessoas em quem eu confiava plenamente, parceiros de tantas batalhas nos plantões.

Meus primeiros plantões foram tranquilos, a tensão deu lugar à bonança. Os velhos e conhecidos boletins de ocorrência, intermináveis filas de vítimas no plantão. Como sempre, um escrivão de polícia por equipe.

O plantão estava limpo, as lâmpadas não estavam queimadas, eu estava preparado para uma nova visita do doutor Fredão. Ela não aconteceu, ainda bem. Por isso, um bom tempo se passou sem qualquer problema. A grande quantidade de serviço não me assustava, aliás, fazia o tempo passar rápido no plantão. Um auto de prisão em flagrante demorava de duas a três horas.

A vida profissional, em qualquer carreira, influencia a vida particular em algum nível. Mas, naquele ponto da minha carreira, ficava fácil visualizar que a da polícia tinha agravantes. Embora todos tenham seus problemas profissionais, não imagino que em outras carreiras jurídicas ocorra uma transferência por causa de lâmpadas queimadas e chão sujo, muito menos ameaça de funcionários por ter feito a coisa certa.

Como consequência da bonança, houve melhora na minha relação com a Daniela. Ela continuava a trabalhar e a estudar para concurso jurídico, e eu também. Empolguei-me, criei forças para reiniciar meus estudos para o Ministério Público e para a Magistratura, pela enésima vez. Nunca deixei de sonhar em ser promotor de justiça ou juiz de direito. Inclusive, meu melhor amigo de faculdade, Alexandre, ingressara no Ministério Público. Eu acompanhava a sua carreira com admiração.

Alexandre me apoiou durante toda a minha trajetória como delegado de polícia. Incentivava-me sempre e insistia para que eu estudasse. Além disso, para cada um dos problemas ele recebia a minha ligação de desespero, de certa forma apenas um pedido de apoio. Foi assim na época do escrivão Jonas (que, aliás, ganhou dinheiro às custas de um ofício do Ministério Público), da oferta de dinheiro no caso dos engenheiros, no 88º DP, e também no caso dos CDs piratas. Eu sempre compartilhava a minha experiência, como um soldado que liga do *front* para seu amigo, sedento por ouvir que sua conduta é a certa.

Mais de uma vez, Alexandre tentou conseguir a minha transferência para a corregedoria da Polícia Civil, critério estritamente político. A cada tentativa, uma particular ansiedade, criada pela expectativa de que meu nome saísse no *Diário Oficial*.

Significaria sair ileso do *front* depois de tantas batalhas. Em minha trajetória, constantemente tinha o sentimento de que seria alvejado a qualquer momento, processado, preso. A tensão da guerra pode ser pior do ela própria. Eu vivenciava baixas, amigos que se exoneravam, outros respondendo a processos, uma loucura.

Ao mesmo tempo, o mecanismo da corrupção continuava firme, gerando uma enormidade de dinheiro sujo, deixando um rastro de vítimas, das mais variadas espécies.

— Doutor Rodrigo? Doutor?

— Oi, Fábio, desculpe, estava aqui pensando na vida — respondi, sentado em um sofá verde na sala do delegado de plantão, ao lado de uma mesa de escritório.

A sala do delegado de plantão do 17º DP ficava logo à direita da porta principal. Bem arrumada, tinha o inconveniente de estar situada logo na entrada, o que a deixava muito vulnerável. Era comum encontrar moradores de rua ou bêbados (às vezes, as duas coisas) dormindo na sala do delegado plantonista.

— A Polícia Militar está apresentando uma briga de vizinhos — disse Fábio.

Trabalhávamos juntos há muito tempo, eu o conhecia. Bastava o seu olhar para entender a sua preocupação. Seu sorriso sarcástico parecia uma válvula de escape para as mazelas do plantão. Algo estava acontecendo.

— Qual o problema, Fábio? Todos os dias vizinhos brigam.

— Então, eu estava fazendo o boletim de ocorrência normalmente, são dois mecânicos que brigaram com o dono de uma pizzaria, comércios lado a lado. Eles brigaram feio, todos estão machucados.

— Pode fazer o de sempre, boletim de ocorrência de agressão, lesão corporal, coloque ambos como averiguados. Como você sabe, Fábio, não existe compensação de culpa em Direito Penal. — Em suma, determinei que não se apontasse um culpado no boletim que seria elaborado.

— Eu estava fazendo, doutor, mas o inusitado aconteceu, os mecânicos estão falando que o dono da pizzaria sacou uma arma de fogo durante a briga — disse Fábio sorrindo, mas inconformado.

— Como assim?

— Isso mesmo, estão falando que a briga acabou quando o outro sacou uma arma de fogo, um revólver.

Meu primeiro problema na delegacia do Ipiranga não viria por causa do Malvadeza. Levantei-me para averiguar aquela história, saí da minha sala e, de imediato, deparei com as partes separadas. Enquanto dois jovens permaneciam sentados de um lado do plantão, sujos de graxa, do outro, um casal. Deduzi que se tratava do dono da pizzaria e de sua companheira. Era visível que haviam ocorrido agressões mútuas, ambos levemente machucados.

Todos me reconheceram como o delegado — eu era o único de terno. Fui direto ao ponto:

— Que história é essa de arma de fogo?

— Ele puxou uma arma, falou que mataria a gente — contou um dos mecânicos, apontando para o casal.

— E onde está essa arma? — perguntei.

— Ele deu à policial militar, eles estão escondendo, comem pizza de graça lá! — complementou o outro mecânico, irmão do primeiro.

Enquanto o comerciante de pizza olhava para baixo, sem nada dizer, dei dois passos em direção a uma policial militar. Estava muito transparente que os mecânicos diziam a verdade.

— Onde está essa arma? — perguntei à policial.

— Está aqui — respondeu, puxando um revólver de sua cintura. — Eu fui buscá-la na viatura, é claro que apresentaríamos a arma...

— Entregue-a para o escrivão — ordenei.

Enquanto Fábio desmuniciava o revólver, olhei para o dono da pizzaria:

— Você tem documento de porte de arma?

— Não, na verdade eles me agrediram, eles sempre...

— Tem porte de arma? — perguntei em voz alta, cortando suas palavras desconexas.

— Não tenho, mas estava apenas me defendendo.

Na frente de todos, me aproximei e dei-lhe voz de prisão:

— Você está preso pelo crime de porte de arma, coloque as mãos para trás. — Olhei para os policiais militares, para o Gaúcho, e finalizei: — Pode colocá-lo na carceragem, está preso em flagrante.

Antes que a outra parte se sentisse vitoriosa de alguma forma, esclareci:

— O crime de porte de arma não exclui a agressão de todos, que será apurada da mesma forma.

Simples assim. Tive inúmeras ocorrências parecidas, complicadas, aos pedaços. Muitas vezes os policiais, civis ou militares, ou mesmo as partes, escondem fatos relevantes. O delegado de plantão trabalha com o que tem, não há outro jeito.

A decisão deve ser rápida, ao contrário da dos juízes, que felizmente dispõem de algum tempo para as decisões importantes. No plantão, tudo é muito rápido e volátil.

O que se destaca nessa ocorrência é que havia outras pessoas no plantão, policiais, muita gente. Prendi aquele indivíduo que foi surpreendido portando uma arma de fogo ilegalmente, não via outra decisão possível. Mas, visivelmente, os PMs tentavam ajudá-lo de alguma maneira, "esquecer" a arma, pois sabiam que, enquanto as agressões se resumiriam em uma ocorrência de menor potencial ofensivo, o crime de porte de arma lhe acarretaria a prisão. Acredito na versão dos mecânicos: os policiais deviam ser amigos do dono da pizzaria.

De qualquer forma, fiz o que deveria ser feito, na frente de todos e sem titubear. Não imaginava naquele momento que essa seria a pior ocorrência da minha vida até então.

A ocorrência foi finalizada normalmente: os mecânicos investigados por agressão, o dono da pizzaria por agressão e preso em flagrante pelo porte ilegal do revólver. Caso encerrado. Só depois fiquei sabendo que o autuado ficou preso por uma semana até a concessão de sua liberdade provisória pelo juiz do caso.

A normalidade do trabalho no 17º DP acabou depois de um mês. Recebi uma intimação da corregedoria, não adiantaram o assunto. Eu deveria comparecer na Casa Censora para ser ouvido.

Uma sensação ruim, ainda mais para quem preza por fazer tudo certo. "Pelo menos não se trata de corrupção", pensei. Alguém deve ter reclamado do meu trabalho, alguém mais influente politicamente que mandei para a cadeia. Afinal, a lei é igual para todos, uma premissa complicada em nossa sociedade. Liguei para a corregedoria, pedi para conversar com o delegado que me intimou, ele não quis falar comigo. Tive de esperar até a data marcada.

Devo admitir: depois de tantos anos de polícia, até que demorou para eu ser intimado na corregedoria.

No dia marcado, subi sozinho as escadas do prédio da corregedoria, na rua da Consolação, próximo à avenida Paulista. Que sensação ruim, nunca tinha estado naquele prédio. Pensar que meu amigo Alexandre havia tentado me transferir para aquele lugar, e eu entrava lá pela primeira vez intimado.

Na portaria, mostrei a intimação. Um funcionário olhou como se eu fosse mais um corrupto. Não, não foi impressão minha, ele mostrou claramente seu olhar julgador. Eu nada podia fazer, afinal estava intimado para ser ouvido na corregedoria.

Enquanto esperava o elevador para ir ao primeiro andar, pensei em muita coisa. Primeiro, que aquele prédio estava muito malconservado. O elevador era antigo, apenas dois, dos três existentes, funcionavam. O primeiro andar seguia o mesmo caminho do descaso. Cadeiras velhas e divisórias que pareciam colocadas aleatoriamente, um puxadinho de salas, sem nenhum planejamento. O banheiro era pior do que muitos de rodoviárias distantes.

Tive de invadir as salas, não havia ninguém para recepcionar. Um investigador me mandou aguardar nas cadeiras velhas, pegou a minha intimação e sumiu. Depois de meia hora, um delegado veio me chamar. Novo, muito mais novo do que eu, de idade e tempo de carreira, era alto e moreno. Uma barba rala tentava sem sucesso deixá-lo mais velho. Educado, me mandou segui-lo. Entramos em salas que davam em outras salas. Na quarta pequena sala, com uma mesa e um computador, ele se sentou.

— Sente-se — apontou a cadeira da frente. — Preciso te ouvir nesse boletim de ocorrência, mas fique sossegado.

Eu não estava sossegado. Ele me passou uma pequena pasta, um expediente, com um boletim de ocorrência registrado pelo plantão da corregedoria e depois o boletim que eu tinha feito um mês antes, aquele da prisão do dono da pizzaria pelo crime de porte de arma.

Fiquei surpreso. Depois de um mês? O indivíduo que eu prendi tinha ido até a corregedoria dizer que, na data de sua prisão, lhe pediram dinheiro.

Mas no boletim de ocorrência não constava o meu nome; foi registrado como crime de extorsão, "autoria desconhecida". Isso porque o sujeito dizia não saber quem tinha lhe pedido dinheiro, só que era um homem de calça jeans e camisa, alto e com cabelos grisalhos.

Eu não tinha nenhum cabelo grisalho e nunca tinha ido trabalhar sem meus ternos baratos e desconjuntados. Nada fazia sentido, era um boletim de ocorrência pessimamente registrado.

— Para todo boletim que fazemos temos de ouvir as pessoas antes de mandar para diretoria com uma manifestação, isso é normal — disse ele calmamente.

Eu não estava calmo, já me sentia injustiçado, por que me ouvir? Afinal, eu prendi aquele sujeito!

Prestei as minhas declarações, revoltado. Quando preservamos a nossa honra, qualquer ataque a ela causa indignação.

— É só esperar imprimir e assinar — disse aquele jovem delegado. Descobri que ele nunca tinha trabalhado em uma delegacia, saiu da Academia de Polícia direto para a corregedoria, tinha um padrinho político forte. Fiquei lembrando de várias ocorrências complicadas, ameaças que eu sofri de investigadores corruptos e outras mazelas da corporação. Eu não tinha padrinho para trabalhar naquele lugar. Enquanto isso, a velha impressora matricial soltava o papel com as minhas declarações. O jovem delegado comia uma maçã tranquilamente. A fruta parecia soltar uma luz, de tanto que brilhava. "A avó dele deve tê-la colocado em sua lancheira", pensei.

— E agora? O que eu faço, nunca passei por isso — perguntei, assinando os papéis.

— Daqui vai para a diretoria. Mas isso acontece todos os dias aqui, fique sossegado — respondeu, mordendo sua maçã brilhosa.

Não lembro de ter ouvido alguém me dizer tantas vezes para ficar sossegado. Eu não estava. Saí pelo mesmo elevador, desci a mesma escada e passei pela mesma portaria, me despedindo do mesmo policial de olhar preconceituoso que guardava a entrada.

Como dizem, notícia ruim chega rápido. Não demorou uma semana para eu receber uma ligação de um delegado que também trabalhava na corregedoria. Ele contou que a manifestação do jovem delegado que me atendeu tinha sido no sentido de instaurar inquérito contra mim, o que foi feito. Perguntei se poderia olhar o inquérito instaurado e ele respondeu que sim.

Inquérito policial contra mim.

Voltei pela segunda vez ao mesmo prédio, à mesma escada, ao mesmo elevador. Foi instaurado inquérito policial pelo crime de extorsão. Cheguei ao andar da delegacia de crimes funcionais. A delegada que recebeu o inquérito para presidência não estava. O escrivão dela, muito simpático, me entregou os autos.

— Posso me sentar ali? — perguntei ao escrivão, apontando uma velha cadeira colocada no canto daquela pequena sala.

— Claro, doutor.

O escrivão estava sem graça, percebeu que eu estava transtornado. Abri a capa e passei a ler a portaria inaugural: "chegando ao meu conhecimento que no dia sete, no plantão do 17º Distrito Policial, Rodrigo, delegado de polícia, exigiu quantia em dinheiro da vítima [...] tendo por isso praticado o crime de extorsão, dou por instaurado este inquérito policial".

Eu não podia estar lendo aquilo, só poderia ser um pesadelo. Um inquérito policial instaurado contra a minha pessoa? Extorsão? Por ter "exigido" dinheiro? Como assim?

Depois da peça inicial — a portaria — e dos boletins, pude constatar, lendo o inquérito, que o delegado criado pela vovó chamou novamente aquele indivíduo que eu tinha prendido. Ele foi ouvido de novo e mudou a versão que dera no boletim inicial. Nessa nova declaração, constava a seguinte frase: "Informa o declarante que reconhece o delegado Rodrigo como a pessoa que lhe pediu dinheiro". Inacreditável! Não foi perguntado ao criminoso sobre eu estar de terno, sobre meus cabelos pretos, nada! Aliás, nem foi perguntado por qual razão ele estava mudando a sua versão, nem por que eu lhe pediria dinheiro se o mandei imediatamente para a prisão.

Simples assim.

Eu estava nervoso, minhas mãos suavam, minha respiração estava alterada. Eu transpirava minha revolta.

— Doutor, veja a capa do inquérito — disse o escrivão da corregedoria. — Não conte para ninguém, mas eu escrevi no lugar do indiciado, na capa, a expressão "a esclarecer".

— Obrigado — respondi sem entender o valor daquela capa.

Saí da sala embriagado pela situação, com olhar turvo, em direção ao elevador. Perdido, não tinha a mínima ideia do que fazer. Aos poucos, compreendi a atitude gentil daquele escrivão. Como ele não tinha colocado o meu nome na capa do inquérito, meu nome não se espalharia pelos distribuidores criminais. Tecnicamente, o inquérito não era contra a minha pessoa.

Fui salvo pela capa de um inquérito.

Eu estava perdendo a guerra. Depois de tantos anos, àquela altura e até aquela data, eu me sentia preparado para lutar, tinha passado por inúmeras situações de enfrentamento. Mas não estava minimamente preparado para aquilo. Enquanto policiais desonestos eram elogiados oficialmente, eu respondia por um inquérito de extorsão. Lembrei que dei voz de prisão ao indivíduo na frente de todos, dos policiais militares, do escrivão Fábio. Era tudo muito transparente. Contra mim somente a palavra do preso, nada mais. Eu não tinha como lutar contra isso, contra a presunção de ser um bandido.

O incrível é alguém pensar que eu poderia ter pedido algum dinheiro ao preso. Ainda que fosse corrupto, o que eu poderia fazer? O indivíduo havia sacado uma arma de fogo, sem documento de porte e no meio da rua. Havia testemunhas: os mecânicos. Na verdade, qualquer delegado, corrupto ou não, acabaria por fazer o mesmo, prendê-lo. Não havia margem para um acerto, na minha opinião.

Consegui ligar para Fábio, pedi que pesquisasse se o acusador possuía antecedentes criminais. Em uma rápida pesquisa, Fábio contou que ele havia sido preso outras vezes e tinha inclusive sido processado por calúnia, por imputar falsamente crime a alguém. Nada disso tinha sido levado em consideração.

Foi assim que eu descobri não existir uma conduta a seguir. Não havia como minimizar o risco de ser processado ou preso. Eu estava à deriva, jogado como uma pequena peça insignificante no jogo, lidando apenas com a sorte, ou com o destino. Não tive como não me lembrar do Juliano, ele tinha me avisado.

Tive raiva, medo, até dor de estômago. Parei no andar térreo da corregedoria e liguei para o meu amigo promotor, Alexandre, para pedir socorro. Ele me prometeu continuar tentando me tirar do Decap, me mandar para outro departamento, meu antigo sonho de sair do *front*.

Com relação ao inquérito, saí do prédio com a data para ser ouvido oficialmente. Uma semana. Eu sabia que não me permitiriam falar tudo o que eu queria. Por incrível que pareça, não se costuma autorizar aos investigados a falar tudo o que desejam, mesmo sendo garantida a ampla defesa. Isso porque falar tudo seria atacar o sistema, criticar meu acusador e todas as incoerências praticadas pela própria corregedoria.

Difícil admitir, mas nada estava sendo investigado, era um inquérito pronto e com uma única versão, a do preso.

Resolvi tomar uma atitude não convencional. Como se fosse um requerimento, fiz uma petição, um documento. Em dezessete páginas coloquei toda a minha revolta, todas as incoerências e absurdos que estavam sendo feitos no caso, como a mudança de versão do preso, divergência nas características de quem lhe exigira dinheiro e tudo mais. Escrevi também que aquele caso era a resposta para uma dúvida conhecida: por que tantos delegados de polícia fogem da carreira? Alguns abandonam a polícia, trocam a carreira por concursos para cargos de nível inferior, segundo grau de escolaridade. Eu não tinha o que perder. Um inquérito instaurado pelo crime de extorsão, uma corrupção mais grave, o que poderia ser pior?

Rasguei o verbo na petição.

Claro que a delegada presidente do inquérito indevidamente não me autorizaria juntar a minha petição ao inquérito. Com os antecedentes criminais do preso, totalizaram-se quarenta páginas. De qualquer maneira, protocolizei no segundo andar, protocolo geral. O funcionário daquele setor sequer lia os inúmeros documentos encaminhados ao departamento. Meu plano deu certo, consegui o meu protocolo e o documento passou a integrar o inquérito.

Em casa, as coisas só pioravam.

— Você não aprende? As coisas não mudam!

— Daniela, você não entende...

— Entendo, sim. Somos honestos, mas não temos o poder de mudar esse sistema de que você tanto fala. Pare de tentar mudar as coisas! — gritou ela com o dedo em riste.

Não a culpo por não entender, por pouco mais de dois anos teve de conviver com meus problemas, meus sofrimentos, minhas angústias. O que no começo de nossa convivência era orgulho, agora resultava em tortura psicológica. Eu vivia pela casa com insônia, triste e sofrendo. Daniela era obrigada a compartilhar as mazelas de uma instituição do qual ela não fazia parte, pois naturalmente eu contava tudo a ela.

Há tempos, embora não quisesse reconhecer, eu percebia todo o prejuízo que eu estava causando àquela pessoa do bem. Eu não conseguia estudar para sair da polícia e ainda a atrapalhava nos estudos dela. Daniela sonhava em ingressar no Ministério Público. Era dedicada e inteligente, o que lhe rendeu aprovação até a última fase de um concurso. Não passou por pouco.

Eu sentia mais um peso nas minhas costas. Não poderia levá-la para o fundo do poço comigo:

— Estou indo embora, Daniela. Me perdoa.

Era como se eu tivesse finalmente percebido que a torturava, patinando em vão na esperança de sair, de me livrar de tudo aquilo, de um sistema maldito de corrupção e presunções, sistema que atingia muitos inocentes, como em uma guerra.

Daniela não falou nada, deve ter ficado aliviada de se livrar do meu mundo. Sabíamos que não era certo eu levá-la comigo para o abismo. Não era justo. Peguei as minhas roupas, meus livros e fui embora. Com meus poucos pertences, levei também a culpa por tê-la prejudicado por tanto tempo. Agora ela poderia viver em paz, estudar.

Voltei para o pequeno quarto nos fundos da casa dos meus pais. Naquele pequeno espaço que se tornava novamente meu lar, me preparei para o dia em que seria ouvido na corregedoria.

Em uma terça-feira de manhã, apresentei-me pela terceira vez no prédio da corregedoria. Passei pelas mesmas escadas voltadas para a rua da Consolação. Tentava incansavelmente trabalhar na corregedoria para escapar das delegacias de São Paulo, mas até aquele momento só entrara no prédio para me defender de um crime que jamais tinha cometido.

Na recepção, enquanto as pessoas que trabalhavam no prédio entravam por um espaço exclusivo, conversando normalmente como funcionários de uma empresa, soltando piadas e risos tranquilos, eu apresentava meu documento ao funcionário da portaria. Não era o sujeito do primeiro dia, mas tinha aquele mesmo olhar reprovador e preconceituoso.

Quanta coisa passou pela minha cabeça naquele curto caminho até o quinto andar. Era assustador deparar com aquela situação, não pela instauração de um inquérito contra a minha pessoa, mas pelas incongruências das acusações. Não foi fácil admitir que eu estava contando com a sorte. Era a palavra de um indivíduo que eu tinha prendido e nada mais.

Retornei à mesma pequena sala, e o mesmo escrivão me recepcionou, dizendo:

— Doutor Rodrigo, a delegada já está vindo.

— Obrigado — respondi, sentando-me no lugar em que as pessoas são ouvidas, na frente do computador.

O escrivão olhou para um lado, para o outro, para certificar-se de que ainda estávamos sozinhos, e resmungou:

— Doutor, um absurdo isso aqui. — Apontou para o inquérito. — Eu li a sua petição, o senhor está certíssimo — complementou, olhando para a sala da delegada, receoso de que ela estivesse chegando.

E ela estava. Uma mulher bonita, bem arrumada, elegante. Parecia mais uma executiva de multinacional, não combinava com os plantonistas do Decap. Disseram-me depois que ela nunca tinha trabalhado nas delegacias de São Paulo, mais uma apadrinhada. Ela se aproximou ofegante com a minha petição nas mãos. Com os olhos esbugalhados, esticou seu braço com o documento nas mãos:

— Isso é um absurdo — gritou. — Você não poderia ter feito isso!

— O que é um absurdo, doutora? — perguntei em voz baixa, sentado e humilhado, mas certo de que eu não tinha outra opção senão me defender enfaticamente.

Eu sabia por que ela estava indignada, porque eu havia elaborado um documento apontando todo o disparate feito pela corregedoria. Pior, naquele documento eu escancarava um sistema de presunções.

— Me falaram, não foi um só, vários delegados me disseram que você é honesto, mas não é assim que se faz! — disse ela, ainda nervosa. — Você não pode escrever isso aqui — e balançava minha petição.

Convenhamos, minha petição só foi juntada ao inquérito porque eu a havia protocolado no registro central do departamento. A delegada jamais autorizaria a juntada, e isso se tornava ainda mais claro agora.

— Como é que se faz, doutora? — perguntei, aumentando um pouco o tom de voz. — Eu prendo um indivíduo, na frente de todo mundo, que estava armado na rua. Ele fala o que quiser, resolve me acusar; depois de um mês, muda a versão... — aproveitei para vomitar o que estava entalado em minha garganta: — Sou professor de Direito Penal. Extorsão, doutora?! Extorsão?!

— Calma, fique sossegado — disse ela, diminuindo o tom de voz.

— Não estou sossegado, como posso ficar? Não estou trabalhando nesse prédio. — Apontei o chão. — Porque não tenho padrinho forte o suficiente, doutora. Há anos trabalho no meio de bandidos, policiais bandidos! Vocês aqui não têm ideia do que é corrupção, não têm ideia!

— Eu sei que é difícil — murmurou ela em tom conciliador.

— Você não sabe de nada! — gritei com dedo em riste. — Aqui a esse escritório com móveis velhos os problemas reais não chegam! — Respirei fundo, pausadamente. — É isso que eu mereço depois de tantos anos de trabalho, um inquérito policial por extorsão.

O escrivão confessou, pelo olhar, que concordava comigo.

Prestei as minhas declarações e fui embora, com dor de cabeça, é claro. Imaginei quantos acertos estariam sendo feitos pelas chefias naquela linda manhã de terça-feira, enquanto eu era ouvido naquele bizarro inquérito policial.

Desci pelas escadas, não aguentava mais esperar aquele velho elevador, eu queria sair dali. Mas errei na conta e, sem perceber, parei no primeiro andar. Ao sair pelas portas corta fogo, deparei com o plantão da corregedoria. Reconheci aquele monte de salas criadas por divisórias desorganizadas.

Diferentemente do primeiro dia em que estive ali, muitas pessoas se aglomeravam no andar. Muitos policiais, vários com uniforme da corregedoria. Ficou evidente que algo estava acontecendo.

Não precisei dar mais de dois passos para enxergar um pequeno espaço, criado por divisórias e sem portas. Aproximei-me. Ninguém deu muita importância à minha presença, os poucos que estavam de terno eram os delegados da corregedoria, então naturalmente fui confundido como um deles.

— Rodrigo? — disse alguém com voz trêmula.

Cheguei mais perto, parei na entrada daquele cubículo e custei a acreditar na cena que presenciava. Marcos, meu amigo delegado, estava sentado com as duas mãos para trás, como se estivesse algemado. Ingressamos juntos na carreira, aquele que tinha trabalhado comigo no 86º DP.

— Eu não fiz nada — resmungou com um choro sofrido. — Nada. Estava estudando, estudando na minha sala...

Marcos estava sendo preso pelo delegado do plantão da corregedoria. Ele nem me dirigiu mais a palavra, parecia um louco falando sozinho, resmungando "Eu estava estudando, eu estava estudando, a minha vida acabou".

Antes que eu pudesse proferir qualquer palavra, fui reconhecido por um investigador de polícia que trabalhava na corregedoria. Ele estava no primeiro andar da primeira vez que fui ouvido. Educadamente, me pediu para deixar o andar, por ordem dos delegados de lá, pois eles estavam fazendo a prisão em flagrante de dois investigadores e de um delegado do Decap.

O delegado de polícia preso era o meu amigo Marcos.

Não tive escolha, me afastei, tendo a minha imagem coberta pelas demais pessoas que se aglomeravam naquele andar. Desci as escadas me escorando pelas paredes. Minha dor de cabeça aumentou e, subitamente fiquei enjoado. Parei entre os degraus com ânsia de vômito, mas consegui me acalmar.

Ao sair do prédio, como se estivesse em um filme, olhando a movimentação da avenida em outra velocidade, me dirigi lentamente em direção à estação de metrô.

Eu me flagrei concluindo que Marcos havia se rendido ao sistema. Flagrei nos meus pensamentos a lógica de que, se ele estava sendo preso, alguma coisa tinha feito. Tornara-se corrupto? Era natural o pensamento de que ninguém é preso se não fez nada. Como em uma crise de dupla personalidade, surgiu uma voz em minha cabeça: "Pare! Você acabou de ser ouvido como investigado em um inquérito policial sem ter feito nada!".

Eu conhecia o Marcos, ele era como eu, um honesto convicto. Eu sabia que ele não se renderia ao sistema, trabalhamos juntos por mais de um ano. O que, até aquele momento, parecia inicialmente ser apenas azar foi clareando-se como uma engrenagem perniciosa que resultara em vítimas. Eu passava a entendê-la cada vez mais.

O sistema de presunções é mais profundo do que se imagina.

Por telefone falei com Roberta, uma delegada amiga que, assim como eu, tentava há tempos ir trabalhar na corregedoria. Descobri o que tinha acontecido. Eu havia perdido o contato com Marcos desde a ripa do 86º DP, nem sabia que ele havia sido transferido para uma delegacia do centro de São Paulo, o 3º DP, situado na rua Aurora.

Marcos estava desesperado naquele plantão, como sempre. Trabalhando no meio de policiais corruptos, iniciou pela enésima vez os estudos para sair da polícia. Queria ser promotor de justiça a qualquer custo, ganhar o passe para uma vida de paz, longe daquele sistema cruel.

No fatídico dia, uma linda manhã de terça-feira, Marcos estava de plantão. Perto do almoço, seus dois investigadores de polícia pediram para ir almoçar, na verdade apenas avisaram e saíram. Marcos sabia que não tinha como proibi-los de almoçar. Concentrado, sequer levantou a cabeça, pois lia e grifava incansavelmente um livro de direito administrativo, matéria importante para concursos jurídicos.

Marcos não deu importância. Os investigadores disseram que após o almoço apresentariam uma ocorrência a ele, relacionada a placas de carro.

— Estamos deixando essas placas enquanto almoçamos — disse um dos investigadores.

— Tudo bem — respondeu o delegado Marcos de maneira simples, entre uma e outra linha de seu livro de direito.

Essa é a rotina dos delegados de plantão, receber a mais variadas e inusitadas ocorrências. O problema é que Marcos não sabia, mas uma concussão estava em andamento. Os dois investigadores surpreenderam um indivíduo com aquelas placas de veículos, provavelmente de carros roubados. Soltaram o suspeito e lhe deram duas horas para providenciar o dinheiro que exigiram.

Em vez de o suspeito providenciar o dinheiro, foi à corregedoria e contou que estava sendo vítima dos policiais, que não tinham saído para almoçar, mas para achacar um pequeno empresário. Preparada a emboscada, ambos foram presos em flagrante no local combinado para a entrega da propina, um shopping no bairro do Tatuapé.

E o Marcos?

Nesse momento ele estava com o seu livro de direito administrativo aberto, as duas mãos ocupadas, uma com a caneta marca-texto amarela e outra com uma régua, estudando no meio do plantão mesmo, tentando escapar da polícia.

Nada disso importou. Após os investigadores serem presos, policiais da corregedoria foram ao plantão do 3º DP, invadiram a sala do delegado e o flagraram estudando incansavelmente. Ele não tinha a mínima ideia do que os investigadores estavam fazendo. Não falou com o investigado em nenhum momento, nada! Mas como os investigadores de sua equipe colocaram aquelas placas na sua sala, concluíram que ele estava junto na trama. Foi preso em flagrante.

Preso. Simples assim. Nunca imaginei existir um mundo tão particular, o mundo policial. Um lugar em que corruptos eram elogiados, enriqueciam à luz do dia, enquanto alguns iam para a cadeia por simples presunção de desonestidade. A proporcionalidade da desgraça é irônica. Acabei por agradecer a Deus ter sofrido "apenas" um inquérito policial totalmente injusto, melhor do que ir para a cadeia sem ter feito nada.

No meu caso e no do Marcos, foi o Ministério Público que, em última análise, fez justiça — a instituição que eu às vezes julgava preconceituosa com os delegados. Posteriormente, o promotor requereu o arquivamento do meu inquérito policial. Eu pude continuar dizendo que nunca sofri uma investigação contra a minha pessoa, simplesmente porque na capa o escrivão não colocara o meu nome.

No caso do Marcos, o promotor de justiça processou os dois investigadores, mas pediu o arquivamento com relação ao delegado. E mais, registrou em sua manifestação não ter entendido o porquê de a corregedoria ter concluído que o delegado estava envolvido na corrupção. Mas até a redenção, Marcos amargurou vinte e três dias na prisão, mergulhou sua alma na mais profunda depressão, depois de ser esmagado pelo sistema, embora nada tivesse feito.

CAPÍTULO 16
"Estão indo te prender!"

Logo após a passagem do furacão, tirei férias. Foram apenas duas semanas. O delegado titular dizia que na polícia trinta dias de férias era muito. Deferiu quinze. Foi uma tentativa minha de depurar o que havia acontecido. Nada adiantava: depois desse inquérito, a minha vontade de trabalhar na polícia morreu.

Ali se encerrava a minha carreira.

Eu estava à deriva. Foram anos aprendendo a me defender da corrupção. Eu sempre tinha sucesso ao fim das minhas histórias, como se o bem sempre vencesse o mal. Com o passar do tempo, criei a (falsa) sensação de que eu estava protegido, como se eu estivesse vacinado, como se soubesse lidar com as regras postas.

Depois das férias, segui trabalhando por inércia, precisava daquele emprego. Foram incontáveis as vezes em que fiz contas e mais contas, sonhava com a minha exoneração.

Presenciei muitas baixas, colegas que foram embora. Mas até então era inimaginável para mim deparar com um amigo preso. Sem ter feito nada, sem qualquer culpa. Não saía da minha cabeça a imagem que fiz dele sentado à sua mesa estudando direito administrativo no momento de sua prisão, sem ter ideia do que estava acontecendo.

Voltei à realidade. Voltei ao plantão da delegacia do Ipiranga. Nunca mais fui trabalhar animado, cada plantão era um sofrimento. O Fábio e o Gaúcho eram o que tinha sobrado da guerra, minhas últimas armas. Eles também não aguentavam mais, viviam reclamando.

Enquanto isso, o trabalho político do meu amigo Alexandre se intensificava. Ele me avisou que conseguiria me tirar do plantão do Decap, me indicaria a alguém importante para que eu trabalhasse na corregedoria. Ele acompanhou a tramitação do meu inquérito, aprendeu quão perigoso era o mundo em que eu vivia. Disse que era questão de tempo para me salvar.

Sustentado apenas pela promessa de sair do Decap, não pensava muito, de plantão em plantão fazia o meu serviço e orava. Claro, sempre que podia eu estudava, estava sempre com algum livro jurídico à mão, nutrindo a esperança de sair da carreira.

Trabalhar com o famoso delegado, o doutor Malvadeza, não era fácil. Ele mandava uma infinidade de documentos diários, questionando o trabalho dos delegados de plantão. Cada boletim de ocorrência registrado, nos quais ele sempre tratava de achar algum erro, vinha por escrito uma determinação para que nos explicássemos. "Pelo menos ele é honesto", eu pensava.

Consternado, seguia meu destino. Foram três meses de plantões recheados de ocorrências e flagrantes, o que eu já fazia há anos.

A fama de encrenqueiro do Malvadeza firmava-se a cada dia, ele realmente implicava com tudo. Cada boletim de ocorrência registrado retornava com um despacho ameaçador para o delegado plantonista "fazer as alterações determinadas sob pena de encaminhamento à corregedoria". Fui me acostumando. O problema é que o discurso da honestidade caía por terra paulatinamente. Nós aprendemos que a pessoa honesta é aberta, franca, transparente.

O maldito caso da extorsão na corregedoria me provou que a transparência não elimina o risco, mas diminui a possibilidade de termos problemas.

Malvadeza, com o tempo, passou a mostrar a sua verdadeira face. Algumas ocorrências eram feitas às escondidas, depois do expediente, até a madrugada. O chefe dos investigadores sorria para mim em tom irônico, brincava com a fama de linha-dura do delegado titular.

Toty, investigador-chefe, era muito educado. Sempre bem vestido, de terno, mas sem gravata, ostentava relógios caros e correntes de ouro. Com um pequeno bigode e sempre sorrindo, às vezes parava no plantão para conversar comigo. Ao lado dele, era comum encontrar um investigador bom de papo, o Heitor. Este era bem extrovertido, não tinha papas na língua.

— O senhor não vai ficar aqui por muito tempo, doutor — desabafou.

— Por que, Toty? — questionei.

— É muito complicado um delegado como o senhor no Decap — completou. — São muitos delegados honestos, mas poucos atrasam o lado da chefia, de quem quer ganhar dinheiro. O certo é fazer de conta que nada está acontecendo.

— Doutor — acrescentou Heitor — com a sua inteligência e a minha vontade de ganhar dinheiro, ficaríamos ricos! — desabafou, me abraçando de lado e olhando para o Toty.

— Como sempre digo, Heitor, tenho o defeito da honestidade — brinquei.

— E que defeito! — confirmou Heitor, sorrindo.

— Acho que, no futuro, vou ficar igual ao Malvadeza, um chato exigente, mas honesto — disse.

Ambos soltaram uma gargalhada. Não sei se perceberam que eu pretendia confirmar a minha suspeita. Olharam-me tranquilamente.

— Doutor, não caia nessa, não, a diferença é que ele só conversa comigo — respondeu Toty, fazendo aspas com os dedos no ar ao falar a palavra "conversa". — O trabalho é o mesmo.

— Um avião — completou Heitor.

— Que pena, eu acreditava na honestidade dele — retruquei, requerendo a confirmação.

— Eu não falei nada, hein — pontuou Toty.

Estava confirmado, em tom de segredo: o Malvadeza tinha apenas a carcaça da honestidade. Para mim já não fazia mais diferença. Sentia-me nocauteado depois do famigerado inquérito.

Eram plantões e mais plantões, eu apenas cumpria o meu horário. Continuei trabalhando do meu jeito, minha conduta padrão, tudo o que eu havia aprendido nos intermináveis anos pelas delegacias de São Paulo, pois não pretendia responder a mais um inquérito, muito menos ser preso. E, admito, aprendi a conviver com o doutor Malvadeza, ia tocando a vida.

Constatei com o tempo que o Malvadeza e eu tínhamos uma semelhança importante: ambos não se adaptavam ao sistema. Embora sob o ponto de vista da honestidade ele fosse o meu oposto, Malvadeza não deixava de ter problemas por não concordar com a engrenagem da polícia. Nesse sentido, vivia brigando com os demais delegados, inclusive com os seccionais.

Malvadeza tentava impor a sua visão de como todos deveriam agir, ainda que contra a lei. Eu, até então, tentava impor a legalidade; ele, as suas ordens absurdas. Por ordem dele, as prisões da chefia eram apresentadas sem pudor ao delegado de plantão, com a determinação — verbal, é claro — do que deveria ser feito: achaques e propinas em nome do delegado de plantão.

Minha sorte é que a esperança move o ser humano. Meu amigo Alexandre, inteligente demais, percebeu que eu habitava o fundo do poço. Passou a me ligar uma vez por semana, colocava-me a par do trâmite político que fazia para que eu fosse trabalhar na corregedoria. O único critério para designação naquele departamento é a indicação. Também me incentivava a estudar para o Ministério Público. Percebi que ele passou a se dedicar mais à minha causa. Alexandre acompanhou de perto o que eu passei, contei-lhe sobre a prisão injusta do meu amigo Marcos. Era a descrição do violento *front* de guerra da Polícia Civil: os plantões das delegacias da cidade de São Paulo.

Tudo parecia prestes a se encaixar. Alexandre me avisou que seu pedido teria resultado, eu seria removido para trabalhar na corregedoria assim que uma nova turma de delegados saísse da Academia de Polícia. Só faltavam quinze dias para a minha salvação.

Conversando com Alexandre ao telefone, feliz e esperançoso, eu jamais imaginaria que o dia seguinte seria o pior da minha vida.

Como nos incontáveis plantões que presidi em minha carreira, acordei às sete horas de uma quinta-feira qualquer, uma hora antes do início do plantão. Cheguei faltando poucos minutos para as oito e o Fábio estava na porta, me esperando para o costumeiro café.

Os raios de sol invadiam o plantão, a temperatura era ideal, nem frio nem calor. Ninguém esperava para ser atendido, tudo muito calmo. Estacionei meu carro usado na vaga destinada aos delegados de plantão, na lateral esquerda do prédio da delegacia do Ipiranga, peguei meu paletó com uma mão e meu livro de direito administrativo com a outra. Caminhei até a minha sala, logo na entrada, e, enquanto colocava as minhas coisas na mesa, Fábio se aproximou:

— Café?

— Sempre, Fábio.

Era tradicional o café do começo do plantão e, logo na esquina da rua, a dona Quitéria mantinha seu pequeno, mas aconchegante, barzinho. Enquanto a simpática senhora tirava da máquina velha dois cafezinhos puros, adoçados exageradamente, nos sentamos em uma das mesas.

— Ontem o negócio foi feio na delegacia, doutor — disse Fábio, sorrindo sarcasticamente, uma marca sua.

— Por quê, Fábio?

— Aqui está, pão na chapa também? — perguntou dona Quitéria colocando os dois copos de requeijão com café na mesa.

— Pode trazer dois. Obrigado, dona Quitéria.

Assim que ela se afastou de nós, Fábio continuou:

— Esse Malvadeza é doido, doutor. Todos estão comentando.

Fábio parecia assustado. Malvadeza, com sua mania de querer impor a sua vontade, cometia erros crassos às vezes.

— O que foi dessa vez?

— Ele fez ao juiz um pedido de busca domiciliar — disse ele, em tom de segredo. — Instaurou um inquérito de receptação para buscar mercadoria roubada na casa de um ladrão.

— Isso é normal — tomei um gole do café.

— Aí é que está, foram até a casa do receptador, mas em vez de prendê-lo fizeram um grande acerto com um advogado.

— Isso é normal — repeti, mordendo meu pão na chapa.

— O problema é que ele prendeu o avô do ladrão por posse de arma de fogo e trouxe toda a mercadoria roubada para a delegacia.

— Nossa, que estranho...

— A arma era do ladrão, do receptador, não sei por que prendeu o avô.

— Esse Malvadeza acha que pode fazer o que quiser — comentei. — Deve ter prendido o avô para dar uma resposta ao juiz, afinal, vai precisar de um relatório depois que o juiz permitiu a entrada na casa.

— A salinha ao lado da dele, no primeiro andar, está cheia de coisas roubadas! — disse Fábio, inconformado. — Os investigadores contaram que encheu uma Kombi, de tanta coisa. Trouxeram tudo para a delegacia.

— Certamente vão vender as coisas roubadas, fora o dinheiro que ganharam no acerto. Básico, Fábio. — Dei um leve tapa no braço do meu fiel escudeiro. — Vamos trabalhar.

Voltamos à delegacia e pela hora tudo ainda estava bastante calmo. Os investigadores da chefia e os escrivães chegavam aos poucos. Vi, por volta das dez, o Malvadeza entrar no prédio e, como de costume, se dirigir ao primeiro andar sem cumprimentar ninguém.

Hoje eu tenho certeza: se fosse qualquer outro delegado, nada teria acontecido, por mais corrupto que fosse. Mas era o doutor

Malvadeza. Ele era corrupto, na minha concepção um bandido, mas lidar com pessoas assim era o meu dia a dia. Não foi esse o problema, eu estava acostumado com isso A faísca se originou do encontro da minha personalidade com a dele.

O *tsunami* estava criado.

Passei pelo primeiro andar no começo do plantão para sentir o clima. Sem parar, com a delegacia ainda praticamente vazia, subi por um lado e desci pelo outro, nos fundos da delegacia. Pude confirmar: em uma sala, a mercadoria roubada e não apreendida. Apenas com um olhar rápido, vi televisões, cerca de dez rádios de carro, tipo toca-CDs, computadores e outros objetos.

Perto do almoço, desce o chefe dos investigadores com um olhar tímido. Toty parecia pressentir o que estava por vir, conhecia ambos.

— Doutor — disse Toty —, sobraram alguns documentos da ocorrência de ontem, uma prisão em flagrante por posse de arma, o delegado titular mandou o senhor assinar.

Toty coçou a cabeça com uma mão, olhando para o chão, enquanto colocava alguns papéis na minha frente. Ele estava sem jeito. Era uma ordem esdrúxula: como poderia o delegado titular determinar que eu assinasse documentos da prisão que ele próprio tinha feito? E mais, no dia anterior! Eu sequer estava na delegacia durante o registro.

Mesmo que não tivesse ocorrido um acerto, já seria ilegal essa determinação. Além de a prisão ter sido feita por ele, e não por mim, esse caso tinha um agravante: toda a roubalheira do dia anterior.

Nos meses em que trabalhei com o doutor Malvadeza, percebi que a fama dele de ser "bom de papel", de saber lidar com as leis e com os documentos, era equivocada. Ele cometia erros crassos.

O fato de instaurar inquérito policial para apurar o crime de receptação, e depois exigir dinheiro do receptador, eu tinha visto muitas vezes. Mas o Malvadeza não se limitou ao procedimento conhecido: recebeu dinheiro do receptador e escondeu a coisas roubadas na delegacia. Além disso, provavelmente com medo de gerar desconfiança ao não tomar qualquer providência na diligência autorizada pelo Poder Judiciário, encontrou uma arma de fogo e efetuou a prisão do avô do investigado.

Tudo errado.

Eu estava acostumado a ver erros e vacilos que colocavam os corruptos em risco, mas eu nada tinha a ver com as suas condutas. O problema é que, nesse caso, o Malvadeza decidiu que eu deveria assinar no lugar dele os papéis da prisão arbitrária e ilegal. E, é claro, eu não aceitei.

— Toty, você me conhece — disse em tom amigável. — Comentaram comigo essa ocorrência de ontem, e eu nada tenho a ver com isso. Eu não vou assinar nada!

— Eu falei com o doutor Malvadeza. O problema é que o advogado chegou, está aí, querendo a liberação do avô do ladrão.

O crime pelo qual o avô foi preso, posse de arma, é afiançável. Cabe ao delegado arbitrá-la e, se recolhida, soltar o preso imediatamente.

— Como assim? Ele não pagou a fiança ontem?

— Ele quis pagar, mas o doutor Malvadeza disse que só receberia a fiança hoje, para ele ficar uma noite na cadeia. O senhor sabe como é, coisas do Malvadeza...

— Doutor — disse Fábio, que assistia a tudo —, esse avô preso nem ficou na cela, está lá em cima assistindo à televisão, na sala dos investigadores.

A tensão aumentava. Claro, o Toty e eu sabíamos que o Malvadeza não voltaria atrás naquela ordem bisonha, esdrúxula, para que eu assinasse aquele monte de documentos da prisão que ele próprio havia feito, e que registravam a série de ilegalidades e arbitrariedades por ele cometida.

Ele prendeu o avô do criminoso por posse de arma de fogo, mas não o deixou recolher a fiança. Por sua vez, deu ordem para que não o colocassem na carceragem, um preso assistindo à televisão. Só o Malvadeza mesmo.

— Como ele pode não receber a fiança? É direito do preso! — protestei.

— Inclusive, doutor — completou Toty sem jeito —, um dos documentos é o alvará de soltura, para o senhor soltá-lo hoje.

— Eu? Ele que assine. Pare de falar, Toty! É muita ilegalidade para uma ocorrência só, não quero saber disso!

— Mas...

— Some daqui, não tenho nada com isso, não vou assinar nada! — interrompi de forma clara e peremptória.

Toty subiu as escadas com os documentos lentamente. Previa o que viria do delegado titular. Eu também. As coisas pareciam se encaminhar para a falta de controle. Eu jamais voltaria atrás. Como poderia assinar documentos relacionados à prisão do dia anterior? Conheço delegados honestos que os assinariam, pois quem trabalha nas delegacias sabe que a chance de se ter um problema, ou seja, de ser descoberto todo o acerto, é muito pequena. Provavelmente nada aconteceria se eu assinasse tudo, passaria despercebido pelo promotor, pelo juiz etc. Mas minha personalidade me impedia de aceitar ou me arriscar por ilegalidades que não tinha cometido. E é por isso que outros delegados titulares corruptos com quem trabalhei não me mandavam documentos elaborados por eles para colher a minha assinatura.

A hora do almoço se aproximava. Pessoas estavam no plantão para registrarem suas ocorrências, alguns policiais militares aguardavam também. Não demorou para que despontasse na escada, descendo, o delegado titular Malvadeza, acompanhado de um advogado, moreno e alto, muito bem vestido.

Aproximou-se como sempre, de forma arrogante e com um cigarro na mão. Apontou os dois dedos que seguravam o seu vício:

— Assine esse alvará de soltura! Estou mandando!

— Doutor, não tenho nada a ver com essa prisão — respondi em tom ameno, na tentativa de evitar mais problemas. — Eu nem estava aqui ontem. São documentos de uma prisão que...

— O alvará de soltura eu fiz agora, com a data de hoje! — pontuou firmemente.

— Então, doutor — continuei, humilde. Queria apenas me livrar daquela situação. — O senhor mesmo disse que fez hoje, melhor o senhor assiná-lo.

Enquanto ele me intimidava com sua fala ríspida e rouca de um fumante inveterado, as demais pessoas acompanhavam aquela cena estranha. Não é todo dia que dois delegados discutem em um plantão policial. O advogado, aquele que tinha feito o acerto e trazido a propina no dia anterior, acompanhava de perto, apreensivo. Provavelmente ele não entendia muito bem o que se passava.

A tensão aumentava.

— Vai assinar ou não vai?

— Doutor, não posso assinar se não participei dessa prisão, se não vi nada...

— Chega! — interrompeu ele. Virou-se, me deu as costas e bradou em voz alta: — Me acompanhe, doutor — disse ele, dirigindo-se ao advogado. — Ele vai responder por abuso de autoridade.

Ambos subiram em direção à sala do delegado titular. Eu, sem dizer nada, retornei à minha sala sozinho, enquanto todos me olhavam.

O que fazer? Mais um inquérito eu não suportaria, ainda mais um de abuso de autoridade? Não é possível. "Não posso deixar meu nervosismo atrapalhar meu pensamento, preciso resolver isso", pensei. Eu conhecia em detalhes a proteção aos delegados que ocupam cargos de chefia, a política não perdoa a base da pirâmide, principalmente na polícia.

Nesse momento tive uma ideia conciliadora. Sem alternativa, resolvi ligar para o delegado do dia anterior, que estava no plantão. Ele era mais velho, moderado, e deve ter presenciado todo o acerto. Se tinha participado dele, não sei, mas poderia assinar os documentos elaborados no seu dia.

Subi imediatamente para acalmar o Malvadeza, para informá-lo de que e tinha pensado em uma solução, mas nem tive tempo de contá-la. Ao aparecer à sala dele e pedir licença, logo na porta percebi que ele colhia as declarações do advogado. Meu preparo para manter a calma estava no limite, meu nervosismo aumentava radicalmente a cada segundo.

— Suma daqui, estou ouvindo o doutor advogado. Você está ferrado!

Foi a gota d'água. Senti claramente a descarga de adrenalina em meu sangue. Um ou dois segundos que pareciam passar em câmera lenta. As minhas mãos começaram a tremer levemente, minha visão ficou turva. Eu sabia que ninguém acreditaria em mim. Imaginei o que pensariam de um delegado titular ouvindo um advogado, ambos me acusando de abuso de autoridade. Eu estava mesmo ferrado, ele tinha razão.

— Não estou ferrado, não. Não fui eu que fiz acerto ontem! — respondi em tom alto e com o dedo em riste, bem diferente do adotado até então.

Malvadeza levantou-se e veio em minha direção, com o cigarro na boca:

— Você está sugerindo alguma coisa?

— Não! — gritei. — Estou afirmando!

— Vou acabar com a sua vida, vou chamar a corregedoria! — berrava ele.

Seu pulmão apodrecido pelo cigarro não foi páreo para os meus gritos, que se sobrepunham aos dele.

— Corregedoria, não! Eu é que vou chamar o Ministério Público! — gritei enquanto me dirigia até a terceira sala à minha direita, a que escondia os objetos não apreendidos. — Olha isso aqui! — apontei aquele monte de coisas roubadas. — Você é muito burro, não colocou nada na apreensão, mas o flagrante já está com o juiz! Você vai preso! Nem achacar bandido você sabe, seu incompetente!

Meu coração nunca bateu tão rápido. Pela primeira vez, senti meu corpo totalmente alterado, como se eu não estivesse no controle. Descobri o lado animal do ser humano, o instinto, o ser primitivo e adormecido em cada um de nós. Malvadeza vinha em minha direção, mas percebeu que os dedos da minha mão direita se fecharam automaticamente. Eu também percebi. O bicho dentro de mim, acuado, se preparava rapidamente para o ataque, ficou nítido que eu desferiria um soco no rosto daquele outro ser que me atacava. Eu o derrubaria certamente, seria nocaute.

Não sei explicar muito bem, mas em menos de um segundo — talvez uma respiração a mais que oxigenou o meu cérebro, ou talvez a vitória do meu lado civilizado — acalmei-me de alguma maneira. Desci cambaleando pelas escadas do fundo em direção à minha sala. Malvadeza recuou, obviamente.

Passei pelo plantão e todos me olhavam. Os gritos foram tão altos que policiais militares correram em direção ao plantão, pensaram que algum preso estava fugindo. Incontáveis testemunhas presenciaram a cena lamentável.

Entrei rapidamente na minha sala, aquela perto da entrada da delegacia, e bati a porta. Ao fechá-la meu corpo desengatilhou um estado de ataque. A tremedeira das mãos aumentou e uma ânsia de vômito dividia espaço com uma forte dor de cabeça. "Preciso me controlar", pensei.

A respiração cadente parece ter ajudado, mas no singular mundo policial nada pode ser tão fácil.

— Doutor! — disse Fábio, abrindo a porta de forma abrupta. — O doutor Malvadeza chamou a corregedoria para te prender, eles já estão vindo!

— Calma, Fábio, ele está perdido, fez um monte de asneiras, quero ver justificá-las.

— É sério, precisamos fazer alguma coisa! — disse meu fiel escudeiro.

O telefone tocou. Com uma mão peguei o telefone, com a outra fiz sinal para o Fábio se acalmar. Alguém o chamou e ele saiu da minha sala, fechando a porta.

Claro, eu tentava digerir aquela informação, como assim me prender? Ele é que tinha feito tudo errado. Eu precisava atender o telefone.

— Alô?

— Doutor Rodrigo?

— Eu.

— É da seccional, sou assistente do delegado seccional. A corregedoria está indo aí te prender. Falamos com o seccional e ele está voltando do interior, mas mandou a gente te resgatar. Fique calmo, estamos mandando uma viatura para te tirar do prédio.

Até hoje não sei quem me ligou, minha cabeça parecia prestes a explodir, era muita coisa ao mesmo tempo.

— Não precisa mandar viatura nenhuma! — gritei ao telefone. — Só saio preso daqui se for por homicídio, eu mato esse bandido do Malvadeza! — e bati o telefone.

O som do bocal sendo jogado contra a base do telefone fez um torturante silêncio invadir a delegacia inteira. Era possível ouvir um clipe caindo ao chão. Permaneci sentado na minha cadeira por dez minutos, pensando.

A ânsia, a dor de estômago, a tremedeira, tudo passou como num passe de mágica. Apenas a dor de cabeça, bem mais leve, insistiu em ficar. Parecia o preparo para o que estava por vir. Respirei fundo, sentindo-me seguro e preparado para a batalha final. A verdade implícita que deve ter se apossado da minha mente era a de que eu não tinha mais como voltar atrás. Só havia uma opção, ir adiante.

Lembrei-me de toda a minha carreira como delegado de polícia, desde a minha posse no longínquo ano de 2002. Quase dez anos tinham se passado. Olhei-me no espelho e vi outro Rodrigo.

A equipe da corregedoria não demorou trinta minutos para chegar à delegacia do Ipiranga. A notícia se espalhou. Se a prisão de um delegado pela corregedoria causa alvoroço na polícia, o que dizer de um delegado titular que havia acionado a corregedoria para prender o delegado plantonista? Disse o delegado seccional, depois, que em trinta anos de carreira nunca tinha deparado com uma situação como aquela.

A porta da minha sala se abriu.

— Doutor, tem uma viatura da corregedoria na porta — disse Fábio em um tom de voz baixo.

Levantei-me, coloquei meu paletó, calmo, preparado para tudo, sem imaginar o que aconteceria. Em passos abstratos, mas firmes, me dirigi ao plantão.

— Obrigado, Fábio.

Parei no meio do plantão, poucas pessoas não policiais estavam no prédio a essa altura. Em pé, cruzei os braços e passei a olhar fixamente para a viatura recém-estacionada. Dois investigadores desceram do veículo, um de cada lado, uniformizados com grandes dizeres no colete à prova de balas: "Corregedoria".

Enquanto eu olhava sem piscar para o mesmo ponto, dois delegados da corregedoria desceram da viatura. Ambos de terno, aproximavam-se do plantão lentamente. Permaneci olhando para ambos, esperando. Apenas um deles levantou o olhar e cumprimentou todos no plantão com um gesto, sem proferir uma palavra. Depois, pegaram o rumo das escadas, em direção ao primeiro andar.

— Doutor, basta fazer um sinal, ninguém tira o senhor desse prédio, conte com a gente — disse um policial militar.

Lembro-me com orgulho desse apoio que recebi dos policiais militares. Um deles se aproximou para prometer lealdade, mas outros dois estavam juntos. Percebi que muitos policiais militares estavam do meu lado, me senti mais seguro.

— Obrigado. Obrigado mesmo, mas o bandido aqui não sou eu, fiquem tranquilos.

— Sabemos disso, doutor. Todos aqui te conhecem. De qualquer forma, não sairemos desse plantão até se resolver isso — frisou um policial militar, batendo continência.

— Saibam que me sinto mais seguro ouvindo essas palavras de apoio.

Foram dez minutos, não mais que isso. Impossível saber o que aconteceria. Pensei na minha família, na minha carreira. Na minha personalidade, no meu caráter, na minha honestidade. Brigava mentalmente para que não me arrependesse de ter negado assinar aqueles documentos. Eu estava certo. Mas lembrei do número de injustiças que tinha presenciado nos últimos dez anos.

Lembrei-me da prisão do meu amigo Marcos. Ele nunca se recuperou daquilo. Estava condenado e tatuado na alma pelo cárcere até o seu último suspiro. Nunca se recuperará, pois os seres humanos possuem um senso de justiça inerente à própria existência. Mas o tempo é senhor da razão, a maturidade nos ensina que crianças inocentes morrem em uma guerra.

Percebi que do outro lado da rua estacionou uma viatura da seccional. Ninguém desceu do veículo. Logo depois, os dois delegados da corregedoria desceram pelas escadas calmamente. Malvadeza ficou em sua sala. Um deles segurava um papel, depois soube que se tratava da reclamação, da representação que o Malvadeza fez contra a minha pessoa.

Adiantei-me aos dois, dei três passos em direção à escada:

— Acho que os senhores estão me procurando, sou o delegado de plantão.

— Por gentileza, vamos até a sua sala conversar — disse um deles. Aliás, apenas esse se manifestou durante a operação. O segundo delegado apenas assistia a tudo, visivelmente assustado.

Entramos na sala do delegado de plantão, os dois primeiro, eu depois. Fechei a porta. Éramos apenas nós três.

— Doutor... — me dirigi ao único que falava.

— Paulo, pode me chamar de Paulo.

— Preciso saber apenas uma coisa, o senhor ouvirá a minha versão? Preciso de sessenta segundos. Apenas sessenta segundos.

— Claro que vamos te ouvir, fique calmo — respondeu educadamente.

—Agora, com a sua resposta, estou mais calmo. — Não estava. — Mas se preparem, pois ficarão com os cabelos em pé! Estou avisando, se preparem para o que vão ouvir. Não será fácil.

Os dois se sentaram. Sentei-me em minha cadeira, atrás da minha mesa. À minha frente, meu livro de direito administrativo, como um amuleto. Comecei a contar tudo o que havia acontecido, desde o dia anterior. A cada revelação, os delegados da corregedoria arregalavam mais os olhos. Foi ficando evidente que o Malvadeza estava comprometido pelos próprios erros.

— Doutor, eu conheço a polícia, só estou calmo porque nessa o Malvadeza não tem como se explicar. Ele fez um pedido escrito para o juiz, está com número de protocolo do Poder Judiciário e não há como apagar isso.

Ele estava mesmo encrencado. Havia feito um flagrante no nome dele, no dia anterior, com data anterior, e negado conceder fiança criminal naquele dia. Depois, a prisão foi contra o avô do ladrão, e não contra o próprio.

— Doutor — continuei —, ele pediu a prisão do neto desse coitado que está aí, como vai explicar isso?

— Mas o que você tem a ver com a prisão de ontem? — perguntou.

— Concordo, me pergunto isso desde que entrei no plantão hoje. — Respirei, sorri e respondi: — Nada! Eu nada tenho a ver com a prisão de ontem! E ele quer que eu assine os documentos dessa prisão, alvará de soltura que ele não fez quando deveria? Ele praticou abuso de autoridade!

Os dois delegados não sabiam o que fazer. Olhavam-se discretamente, perceberam que seria difícil para o Malvadeza, as ilegalidades eram claras. Mas eu havia guardado a última cartada. Chegou a hora de apresentar a cereja do bolo:

— Doutor, prepare-se para o grande final. Respire fundo. — Levantei-me e me aproximei de ambos, que permaneceram sentados. — O pedido feito ao juiz era para procurar objetos roubados, crime de receptação. Ele trouxe um monte de coisas roubadas e não fez a apreensão! Está tudo em uma sala do primeiro andar! — apontei para o teto.

Era a minha vitória se aproximando:

— Suponho que os senhores não queiram ir comigo, *agora*, nessa sala. Claro, se forem terão de prender o delegado titular em flagrante, como fazer isso, não é?!

— Calma, calma! — disse o delegado da corregedoria.

— Pois é, doutor, conheço a polícia, só estou calmo por um motivo. A verdade é que os documentos da prisão de ontem já estão com o juiz, já foram encaminhados ao Fórum. Como ele vai explicar que não apreendeu aquele monte de objetos roubados? — E concluí: — Dessa vez ele não escapa. Se mandar alguém fazer a apreensão dos objetos roubados hoje, com data de ontem, conseguirei provar pelo computador quando foi feito. Se ele fizer a apreensão com data de hoje, terá de explicar ao juiz por que não fez ontem.

A porta da sala se abriu após três batidas, sem esperar autorização. Era o Fábio, que com coragem decidiu interromper, mesmo sem saber o que acontecia em minha sala:

— Doutor, o Malvadeza mandou o escrivão dele fazer o auto de exibição e apreensão daquelas coisas roubadas, estão fazendo agora.

— Obrigado, Fábio, pode ir. Está tranquilo aqui.

Fábio saiu da sala e fechou a porta.

— E agora, vamos lá prender o delegado titular? Eu não falei? Só estou calmo porque ele não tem como escapar dessa.

Eu não estava calmo, mas a própria situação demonstrava que seria difícil me prejudicar sem consequências. Eu jogaria toda a porcariada no ventilador, o escândalo seria grande, repercussão na imprensa e tudo mais. Eles perceberam que eu não tinha outra opção, estava disposto e preparado para o tudo ou nada.

— Nós vamos embora, você será ouvido na corregedoria amanhã, fique sossegado. Ele fez uma representação aqui contra a sua pessoa, fique tranquilo.

Os dois delegados foram se levantando e caminhando em direção à porta. De certa forma, estavam fugindo. Aposto que não viam a hora de sumir dali. Como prender um delegado titular da delegacia?

Não deixei por menos:

— Doutor, só mais uma coisa. — Ambos pararam e se viraram, me olhando. — Desligue o gravador, por favor.

— Pare com isso, não gravamos nada!

— Se gravaram, também não tem qualquer problema, pois tudo o que eu falei colocarei nas minhas declarações. Mas o que falarei agora não posso provar. Aliás, uma pergunta: doutores delegados da corregedoria, sou obrigado a ser bandido? A ser corrupto?

Continuaram me olhando.

— Tentei trabalhar na corregedoria, mas não consegui. Agora, só porque estou aqui na delegacia tenho de ser um corrupto?

— Como assim? — perguntou o delegado da corregedoria.

— Não colocarei no papel, pois não posso provar, mas ele, doutores, ele tomou dinheiro do receptador, todo mundo aqui sabe! Muitas risadinhas pelos corredores, aquele monte de coisa roubada na sala sem apreensão.

Olharam para o chão.

— Os investigadores disseram que o Malvadeza se deu bem ontem, fez um grande acerto, ganhou um bom dinheiro para não prender o receptador. — Então, reafirmei: — Não posso provar, mas todo mundo sabe do acerto que ele fez, e sou eu que ele quer prejudicar? Não admito!

Tive de segui-los por dois metros para terminar meu desabafo. Estavam andando em direção à rua antes de eu acabar. Saíram do prédio, entraram na viatura e, sim, fugiram!

Fugiram, porque a outra opção era fazer o certo, prender o Malvadeza. Era o sistema podre se autodefendendo. Um plantonista não pode denunciar um delegado titular. Eu sempre soube, só não fui preso porque não havia meio, os erros grosseiros do Malvadeza naquele caso impediram a corregedoria de me prender, de me prejudicar. Também ficou claro, depois de um tempo, que o Malvadeza ficou com medo de ir para a cadeia, por isso tentou me prender. Fiz a pior ameaça a um policial corrupto, a de chamar uma instituição externa, o Ministério Público. Ele deve ter imaginado promotores constatando aquele monte de objetos roubados escondidos na delegacia, e sem a conivência que a polícia dá aos cargos de chefia.

De qualquer maneira, tive de comparecer no dia seguinte ao plantão da corregedoria, equipe da divisão operacional, para ser ouvido. Dessa vez não esperei "sossegado", me adiantei e em casa fiz um documento registrando o ocorrido com riqueza de detalhes. Nomes, números de lei, artigos, tudo mais. Comprovava matematicamente os crimes praticados pelo Malvadeza, mais de vinte páginas.

Fui bem recebido pelo mesmo delegado, doutor Paulo, sempre muito educado. Entrei na sala onde ele estava sentado, um péssimo clima. Mais duas ou três pessoas, policiais e delegados da corregedoria, se amontoavam no pequeno espaço. A história do dia anterior se espalhara como rastilho de pólvora pela Polícia Civil, pelo menos em São Paulo.

Cumprimentei todos com um meneio de cabeça, sem emitir som algum. Segurava uma pequena pasta com o meu documento para a juntada àquele expediente. Indicada a cadeira — na verdade, era a única desocupada da sala —, me sentei.

— Doutor Rodrigo, vamos fazer a sua oitiva, aqui não há sindicância, inquérito ou processo, é apenas uma oitiva inicial — disse o doutor Paulo.

— Eu sei, obrigado. — Lembrei-me do inquérito policial contra mim, nascido de um expediente desse. — Eu trouxe um pedido de providência, quero requerer a juntada a esse expediente.

— Está deferido, doutor Rodrigo — respondeu Paulo. Ele era legalista, correto, mas infelizmente incapaz de enfrentar o sistema. Digo incapaz porque me foi franqueado acesso ao pequeno expediente que nascia. O próprio doutor Paulo me permitiu ler tudo o que estava registrado sobre o fato.

Em meio ao silêncio e aos olhares dos policiais da corregedoria, passei a ler linha por linha do que constava no documento: o Malvadeza tinha assinado uma petição requerendo a minha punição devido à minha conduta: eu teria gritado com ele. Isso mesmo, em poucas linhas o delegado titular disse ter sido vítima de gritos e ofensas por parte do delegado plantonista. Não deixa de ser engraçado imaginá-lo redigindo a peça com medo de ser preso se eu chamasse o Ministério Público. Aliás, que outra argumentação ele colocaria em sua reclamação: o doutor Rodrigo tinha se recusado a participar de ocorrência com suborno? Definitivamente, não.

Mas a decepção foi ler o relatório da equipe da corregedoria que compareceu ao distrito no momento da crise, aquela chefiada pelo doutor Paulo. Tratava-se de um documento submetido às regras do sistema: "Acionados pelo delegado de polícia titular do 17º Distrito Policial, comparecemos e fomos informados por ele de que o delegado plantonista, doutor Rodrigo, gritou com ele e proferiu ofensas. Entrevistamos o delegado Rodrigo, que negou ter ofendido o delegado titular. É o que cabe relatar".

Enquanto eu lia o relatório, passava meu dedo indicador pelas palavras. Paulo pôde acompanhar a minha leitura, minuciosamente. Ao terminar, respirei fundo, olhei nos olhos dele e desabafei mais uma vez:

— Foi apenas isso, doutor Paulo? Eu neguei ter ofendido o delegado titular? — Minhas palavras extrapolavam tristeza, decepção, jamais enfrentamento.

— Rodrigo — disse Paulo, me olhando envergonhado. — Estude, saia da polícia, preste outro concurso. — Ele se levantou e, olhando para o chão, saiu da sala, pois conhecia muito bem toda a covardia perpetrada pelo sistema, com a sua anuência.

Pelo menos não fui processado, muito menos preso. Foi instaurado um procedimento denominado "apuração preliminar". Apuraram-se fatos, não condutas nem pessoas. Foi o meio que encontraram para arquivar o caso. Embora eu tenha conseguido juntar aos autos minhas vinte páginas de detalhes, o relatório final da apuração concluiu: "Não há provas de que o doutor Rodrigo tenha gritado com o delegado titular, motivo pelo qual o procedimento deve ser arquivado".

Seria cômico se não fosse trágico.

CAPÍTULO 17

"O sistema entrega mais um corpo"

Esse foi o marco da minha desistência da Polícia Civil. A pá de cal. Eu tinha me dedicado por anos, trabalhado de maneira honesta e comprometida para a carreira de delegado de polícia. Mas a cada ano levava um golpe. Nesse ponto da minha carreira, estava ajoelhado e olhando para o chão, sem esperança, enojado de integrar essa profissão.

Devo reconhecer que, por obra de Deus, do destino ou por pura sorte, toda vez que o sistema me golpeava de um lado, algo de bom acontecia do outro, nem que fosse eu escapar da prisão. Se alguém dissesse, quando entrei na carreira policial, que eu poderia ser preso, certamente devolveria com uma gargalhada de deboche. "Pessoa honesta e que não faz nada de errado", eu diria, "não vai para a cadeia".

Descobri que não é essa a regra do jogo.

Em uma semana apareceu um buraco, uma falha do lado esquerdo do meu couro cabeludo. Com quase oito centímetros de diâmetro, parecia uma doença séria, pois a pele dentro dessa circunferência ficou evidente, lisa, sem um fio de cabelo sequer.

— Não é nada sério — disse a dermatologista. — Trata-se de alopecia areata e daqui um tempo provavelmente nascerá cabelo de novo. Você passou por algum estresse sério ultimamente?

— Não — decidi responder. — Apenas pequenos problemas no trabalho.

Demoraria quase ano para que voltassem meus cabelos, para que a marca sumisse completamente. Bem antes disso, menos de um mês depois do fatídico dia em que o Malvadeza tentou me prender, recebi um telefonema de esperança.

— Rodrigo, boas notícias! — Era o Alexandre, meu amigo promotor. Estava empolgado.

— Depois do que aconteceu com você, falei com muita gente. Consegui adiantar a sua transferência. Quando você estará de plantão?

— Amanhã, plantão noturno.

— Aproveite o seu último plantão no Decap, pois amanhã mesmo será publicada no *Diário Oficial* a sua transferência. Você está indo embora das delegacias de São Paulo, você será delegado da corregedoria!

Não contive meu choro escondido. Senti-me salvo, retirado do *front* da guerra, depois de dez anos.

No dia seguinte, bem próximo das vinte horas, estacionei meu carro velho na mesma vaga de sempre. Fábio me esperava na porta, como de costume. Ficou me olhando colocar o mesmo terno usado, desconjuntado. Ajeitei a minha gravata amarela e me dirigi à porta, dessa vez sem qualquer livro nas mãos.

— Café da dona Quitéria?

— Sempre, Fábio. Sempre.

— Saiu hoje no *Diário Oficial*, doutor, todo mundo está sabendo — disse ele enquanto caminhávamos até a esquina. — O senhor conseguiu ir para a corregedoria, fico feliz!

— Obrigado, Fábio. Levarei você para trabalhar comigo assim que possível, pode ter certeza!

— Obrigado, doutor, adoraria ir para a corregedoria, ainda mais com o senhor.

— E o plantão, como está? Tranquilo?

— Está, sim, esse frio ajuda. Só tem um homicídio que ocorreu há pouco, avisei que o senhor iria ao local, a Polícia Militar está lá preservando.

— Vamos, sim. Mas antes, um brinde à minha saída do Decap.

— Com certeza, um minuto a mais não atrapalhará nada, o morto não vai fugir! — e levantou o braço, segurando o copo.

— Só quem participou da guerra sabe como ela é, Fábio.

Estiquei meu braço. Na mão, um copo simples preenchido com o café ruim da dona Quitéria, gosto de delegacia do Ipiranga. Fizemos o brinde e voltamos ao plantão.

Em cima da minha mesa estava o meu ofício de apresentação na corregedoria.

Quanta coisa passa por nossa cabeça. Indescritível. Fui ao banheiro da sala do delegado de plantão. A mesma sala onde recebi dois delegados da corregedoria, vindos, até então, para me prender. Tranquei a porta. Fui ao banheiro e olhei o espelho. Continuei olhando. Não reconhecia mais aquela pessoa. O Rodrigo de que eu me lembrava não existia mais, a polícia havia me transformado em outra pessoa. Enxergava claramente um veterano de guerra, salvo de um triste fim no último minuto. Pensava em tudo e em nada.

A velha lâmpada quase não iluminava aquele banheiro. Tirei as calças, de costas para o vaso, e me sentei para urinar. Sentado no vaso sanitário por vários minutos, tentava descobrir no que eu havia me transformado. Quem era aquele Rodrigo, depois de dez anos pelas delegacias de São Paulo? Não sabia.

Enfim, agora eu estava salvo. Lia repetidamente o impresso do *Diário Oficial* que me designava para trabalhar na corregedoria.

Aquele era o meu último plantão.

Levantei-me devagar, mas animado. Clima de despedida. Saí da sala e chamei meu fiel escudeiro, Fábio. Dessa vez iria com o escrivão ao local do homicídio.

— Tem problema em olhar um cadáver, Fábio? — brinquei.

— Esse é o menor dos nossos problemas, doutor — respondeu acertadamente.

Entramos na viatura e nos dirigimos ao endereço indicado. Como em todos os locais de homicídio, viaturas da Polícia Militar guardavam o cadáver, esperando a autoridade policial e a perícia que seria acionada. O local era ermo, não havia pessoas curiosas como às vezes acontecia.

Perto da meia-noite, nos aproximamos e estacionamos a nossa viatura. Nossa visão ainda era ofuscada pelas luzes coloridas das viaturas policiais. O cadáver estava em decúbito dorsal, o nome técnico para dizer que estava de barriga para cima.

Olhei para o policial militar e perguntei:

— Alguma informação?

— São desencontradas, doutor, mas não param as ligações, será que esse aí é peixe grande?

— Sinal de violência?

— Apenas um tiro, disparo certeiro, à queima-roupa — informou o policial.

Cheguei mais perto do cadáver coberto por jornais, retirei as folhas que cobriam o seu rosto, com ajuda do vento que aumentou naquele exato momento. Fábio também se abaixou, do outro lado do cadáver.

Ao desvendar o rosto, o susto foi instantâneo. "Não podia ser", pensei. Eu me senti envolvido com aquele crime de alguma maneira. Fábio percebeu a minha expressão de susto.

— Conhecia ele, doutor? — perguntou o escrivão, tentando identificá-lo.

— Conheço — respondi, olhando atentamente o rosto perfurado por um único tiro. Não havia muito sangue. — Na verdade, não conheço muito bem, apenas peguei carona com ele quando ingressei na carreira, há dez anos.

— Carona? — perguntou Fábio sem entender nada.

— Isso, Fábio. Não só carona, conversamos por duas vezes. Pessoa simpática, mas nem sei o nome dele. Parecia conhecer bem as mazelas da polícia.

Enquanto eu respondia, Fábio tirou um pequeno pedaço de papel do bolso do cadáver.

— Parece que ele sabia o seu nome — disse o escrivão, levantando uma folha recortada pelas mãos de alguém, na qual estava escrito em letra tremida "doutor Rodrigo".

Eu estava mesmo errado. Nunca foi questão de honestidade. Nunca foi questão de honradez ou de probidade. Tratava-se de saber lidar com o sistema posto, com as regras estabelecidas.

Fui, sim, salvo do *front*. É assim que entendo os plantões das delegacias de São Paulo. Minha ida para o Departamento da Corregedoria da Polícia Civil de São Paulo me revelaria não só a identidade do cadáver que estava à minha frente, mas um degrau mais profundo de um complicado sistema no qual eu ainda estava inserido.

Era só o começo.

Esta obra foi composta em Janson Text LT Std 12 pt e impressa em papel Pólen Natural 80 g/m² pela gráfica Paym.